REVUE FRANÇAISE
D'HISTOIRE ÉCONOMIQUE

N° 14

THE FRENCH ECONOMIC
HISTORY REVIEW

ÉDITIONS
PRESSES DE LA RECHERCHE HISTORIQUE
ÉRIC LEDRU, DIRECTEUR
12, RUE DE SEINE
75006 PARIS
06 86 95 37 06
SIRET : 750 706 442 00019

CONCEPTION GRAPHIQUE
HUGUES VOLLANT

OUVRAGE COMPOSÉ EN
ROMAIN BP

ISSN
2427-4062

REVUE FRANÇAISE D'HISTOIRE ÉCONOMIQUE

THE FRENCH ECONOMIC
HISTORY REVIEW

N° 14

Histoire financière, histoire globale

Financial History, Global History

volume dirigé par / volume edited by

Marie-Claude Esposito et Olivier Feiertag

2020 - II

Association des Amis de la Revue française d'Histoire économique
Les Presses de la Recherche historique

REVUE FRANÇAISE
D'HISTOIRE ÉCONOMIQUE

N° 14

Histoire financière, histoire globale

volume dirigé par
Marie-Claude Esposito et Olivier Feiertag

THE FRENCH ECONOMIC
HISTORY REVIEW

N° 14

Financial History, Global History

volume edited by
Marie-Claude Esposito and Olivier Feiertag

Introduction
HISTOIRE FINANCIÈRE, HISTOIRE GLOBALE

Olivier Feiertag
Professeur d'Histoire économique et sociale à l'université de Paris 1 Panthéon Sorbonne

Le rôle joué par les flux de capitaux dans la mondialisation n'est plus à démontrer[1]. La circulation du capital par-delà les frontières des États apparaît comme le vecteur principal des échanges à l'échelle du monde : marchandises, migrants, informations - tout le reste en découle. L'expansion du capital marque en profondeur l'économie contemporaine. Il revient à Raymond Goldsmith[2] d'avoir le premier identifié, à l'orée des années 1970, cette mutation globale du régime capitaliste qu'on appelle aujourd'hui la financiarisation et « dont *l'ultima ratio*, résume Michel Aglietta, est de *faire de l'argent avec l'argent* »[3].

Pour une renaissance de l'histoire financière

Le récit de cette grande transformation, de quelque bout qu'on la prenne, alimente depuis l'origine la recherche en histoire *financière* : histoire des banques,

1 – Voir Éric Bussière et Laurent Warlouzet, dir., *Mondialisations financières depuis 1880, Monde(s), histoire espaces relations*, n° 13, mai 2018.
2 – Raymond W. Goldsmith, *Financial Structure and Development*, New Haven, Yale University Press, 1969.
3 – Michel Aglietta, dir., *Capitalisme, le temps des ruptures*, Paris, Odile Jacob, 2019, p. 9.

du crédit, de la monnaie mais aussi de l'impôt et des dépenses publiques, mais encore des marchés de l'argent, du Trésor et de l'État... Il y a là tout un champ historique propre à fonder cette « renaissance de l'Histoire financière » que Michel Bruguière appelle de ses vœux dans la préface qu'il donne au premier numéro d'Études et Documents publié en 1989 par le Comité pour l'Histoire économique et financière de la France qui vient alors de se constituer sous l'égide du ministère de l'Économie et des Finances. On n'a pas assez souligné qu'en tête de l'agenda de la recherche en histoire financière, Michel Bruguière pose la question clef : « Sous quelles formes la mondialisation financière a-t-elle accompagné celle des échanges économiques ? »[4]. Remarquable intuition ! Étonnante précocité ! S'interroger sur la « mondialisation financière » à la fin des années 1980, alors que le mot, très en retard comme toujours sur la chose, pénètre à peine le discours des sciences humaines et reste à peu près totalement ignoré de la parole publique ou experte.

Le paradoxe de la mondialisation financière

La cause est entendue : l'histoire financière a pour objet les dynamiques multiples de l'expansion du capital à travers les âges et à l'échelle du monde. C'est donc foncièrement une affaire de marché. Mais la finance historiquement a toujours aussi partie liée au souverain, c'est-à-dire à la puissance publique. C'est la pompe à « phynance » du père Ubu, mais c'est aussi la grande geste de l'État modernisateur et du Trésor planificateur. D'où le paradoxe souvent relevé, mais plus rarement expliqué, de l'histoire financière[5] : elle se développe entre l'État et le marché, et le financier est par fonction un personnage hybride. Il participe des deux logiques, car le souverain a besoin de se financer au meilleur prix sur un vaste marché concurrentiel de l'argent ; mais, le marché, symétriquement, s'appuie sur le placement sûr et à grande échelle que représente le crédit public. Rien n'illustre mieux ce jeu d'acteurs complexe que l'histoire de la libéralisation financière des années 1970 et 1980 en France comme dans le reste du monde[6].

Ce processus dialectique est au cœur de l'histoire financière, mais il sous-tend également ce qu'on appelle la mondialisation ou la globalisation. On commence, avec le recul historique et, depuis le tournant de la crise financière des crédits *subprime* qui s'enclenche à l'été 2007, à mieux percevoir la nature fondamentalement duale de la mondialisation[7] : dynamiques d'expansion mondiale du marché d'une part et d'autre part logiques politiques des États ; espace global de la finance d'un côté, et de l'autre, territoires nationaux ; *rules*

4 – Michel Bruguière, *Pour une renaissance de l'Histoire financière XVIIIe-XXe siècles*, Paris, CHEFF, 1992, p. 1-9.

5 – Voir Youssef Cassis, dir., *Finance and Financiers in European History 1880-1960*, Cambridge and Paris, CUP et Éditions de la Maison des sciences de l'homme, 1992.

6 – Olivier Feiertag, « Le tournant de la libéralisation financière (1984-1988) », *in* Georges Saunier, dir., *Mitterrand, les années d'alternances, 1984-1986 et 1986-1988*, Paris, Nouveau Monde, 2019, p. 511-536.

7 – Adam Tooze, *Crashed. Comment une décennie de crise financière a changé le monde*, Paris, Les Belles Lettres, 2018.

versus discretion. Cette confrontation est la matrice de la mondialisation. L'histoire financière constitue un laboratoire sans pareil pour observer le phénomène. Les différentes contributions réunies dans ce présent numéro de la *Revue française d'Histoire économique* l'illustrent parfaitement.

Histoire financière, histoire globale

La finance est une médiation entre l'offre et la demande de capital, entre le marché et l'État, entre les régulations privées et les réglementations publiques, entre les économies nationales et le marché mondial. Elle est un sas entre l'économie domestique et l'économie mondiale. Les crises financières sont en fait toujours des crises de l'économie internationale : à l'été 1914, à la suite de l'éclatement de la Première Guerre mondiale comme en mai 1931 avec la faillite de la Kredit Anstalt ; en octobre 1987, au lendemain immédiat du krach des principales bourses de la planète ; en 2008, à cause de l'éclatement de la bulle des crédits *subprime,* et fort possiblement de nos jours, à la suite de la pandémie de la covid-19 qui ébranle les banques et semble bien devoir toucher de plein fouet l'économie internationale, même s'il est bien évidemment encore trop tôt pour le dire.

Dans cette optique, il ne fait pas de doute que l'histoire financière est nécessairement globale, non seulement parce qu'elle s'inscrit par nature à l'échelle du monde, mais également, et peut-être surtout, parce qu'elle offre un poste d'observation sur la mondialisation, sans équivalent au sein des sciences humaines. Ce vaste chantier de recherches s'appuie donc sur la *Revue française d'Histoire économique.* Fondée en 2014 par Dominique Barjot, la revue consacre désormais un numéro annuel sur deux à l'histoire financière. Son secrétariat de rédaction et son comité de lecture ont renforcé leur expertise, notamment internationale, dans ce champ. L'ouverture au monde académique francophone, présente dès l'origine de la revue, reste une de ses spécificités. Au soutien du Centre Roland Mousnier (UMR 8596) et de Sorbonne Université s'ajoutent dorénavant le support de l'Institut d'Histoire économique et sociale de l'université de Paris 1 Panthéon Sorbonne (IDHES UMR 8533) et de la Mission historique de la Banque de France.

Sur ces bases, la revue a vocation à contribuer à la vitalité et à la diffusion de l'histoire financière, sans exclusif méthodologique ou institutionnel, mais avec l'idée de travailler à l'émergence d'une nouvelle discipline à la croisée de l'histoire et de l'économie, mais aussi de l'étude des relations internationales ou encore de la sociologie des organisations, des études post-coloniales et des études du genre. La pandémie à laquelle la planète Terre est aujourd'hui confrontée, à l'heure où nous écrivons ces lignes, ne nous laisse guère le choix. *This time is different* dira-t-on peut-être en pensant *in petto* qu'il faut que tout change pour que rien ne change. Et l'histoire n'est sans doute pas la discipline la mieux armée pour contribuer à préciser ce que sera le *jour d'après,* mais elle peut grandement nous aider à comprendre ce qui s'est passé et comment on a pu en arriver au *jour d'avant*.

DE LA RESPONSABILITÉ DU CADRE DE LA POLITIQUE MONÉTAIRE DE GORDON BROWN DANS LA STABILITÉ MONÉTAIRE BRITANNIQUE

Décennie 1997-2007

Nathalie Champroux
Professeure de Civilisation britannique à l'Université de Tours

Au lendemain de la victoire du *New Labour* aux élections législatives, le nouveau chancelier de l'Échiquier, Gordon Brown, annonça une nouvelle qui fit fracas : il proposait une réforme de la politique monétaire britannique, dont l'élément phare serait l'amendement de la loi sur la Banque d'Angleterre de façon à octroyer à l'institution une indépendance opérationnelle. Un Comité de politique monétaire créé au sein de la banque centrale serait libre de décider de la conduite de la politique monétaire à tenir, afin d'atteindre l'objectif constant d'inflation défini par le *Treasury*, et ce dans un cadre régi par les principes de transparence et de responsabilité vis-à-vis du gouvernement et du parlement.

Un mois plus tard, Gordon Brown compléta sa réforme en modifiant l'objectif. Il ne s'agirait plus d'une fourchette de taux d'inflation, mais d'un taux précis symétrique.

Ce nouveau cadre fut présenté comme une révolution de la politique monétaire britannique censée mettre fin à la succession de « stop-and-go » de la période conservatrice. Les résultats s'avérèrent à la hauteur des espérances, l'inflation restant modérée et la croissance soutenue, au cours des dix premières années de gouvernement *New Labour*. Considérer ce nouveau cadre comme responsable de ces bons résultats, c'était oublier que le *Treasury* et la Banque d'Angleterre s'étaient déjà attelés au ciblage direct de l'inflation depuis 1992, favorisant ainsi, bien en amont, l'installation d'une stabilité monétaire propice à la croissance. Un phénomène de modération de la volatilité macroéconomique, déjà constaté chez bon nombre des États du G7, et dit de « Grande modération », s'était enfin enclenché au Royaume-Uni.

Le présent article se propose de replacer la stabilité monétaire britannique des dix premières années de mandat du *New Labour* dans des perspectives historique et géographique plus larges que celle de l'installation du nouveau cadre de politique monétaire de Gordon Brown au Royaume-Uni. Une première section rappellera les éléments constitutifs de ce nouveau cadre. Une deuxième section présentera les résultats macroéconomiques britanniques de 1997 à 2007. Une troisième section replacera le nouveau cadre de la politique monétaire dans le contexte de l'installation, au Royaume-Uni, du ciblage direct de l'inflation dès 1992. Une dernière section s'intéressera au phénomène dit de Grande modération et aux questions qu'il soulève quant à la portée de la réforme de Gordon Brown.

ABSTRACT

A few days after his coming to power, newly appointed Chancellor of the Exchequer Gordon Brown announced a reform of British monetary policy. He proceeded to a redefinition of the objectives of monetary policy and granted the Bank of England with the operational independence needed to reach these objectives. The ten years that followed were marked by good performances regarding inflation. The present paper examines these performances in the light of British monetary policy dedicated to inflation targeting and British Great moderation that started beforehand in 1992.

RÉSUMÉ

Au lendemain de la victoire du *New Labour* aux élections législatives, le nouveau chancelier de l'Échiquier, Gordon Brown, a opéré une réforme de la politique monétaire britannique en précisant son objectif et en accordant à la Banque d'Angleterre l'indépendance opérationnelle nécessaire à sa réalisation. Les performances britanniques des dix années suivantes en matière de stabilité monétaire ont été remarquables. Le présent article se propose de replacer ces performances dans la perspective de l'installation du ciblage direct de l'inflation et du phénomène de Grande modération qui ont démarré en 1992 au Royaume-Uni.

JEL Classification : **E31, E43, E52, E58, E60**

Key words : **British monetary policy, inflation targeting, Independence of the Bank of England, New Labour, Great Moderation**

Mots clés : **politique monétaire britannique, ciblage de l'inflation, indépendance de la Banque d'Angleterre, *New Labour*, Grande modération**

LES ÉLÉMENTS CONSTITUTIFS DE LA RÉFORME DE LA POLITIQUE MONÉTAIRE DE GORDON BROWN

L'élément principal de la réforme de la politique monétaire de Gordon Brown a été l'amendement de la loi existante[1] régissant la Banque d'Angleterre. Les objectifs de la Banque d'Angleterre furent précisés comme étant de « maintenir la stabilité des prix et, à cette condition, de soutenir la politique économique du gouvernement de Sa Majesté, dont ses objectifs de croissance et d'emploi »[2]. La Banque d'Angleterre fut investie de la « responsabilité opérationnelle de fixer les taux d'intérêt à court terme[3] de façon à atteindre la cible d'inflation que le gouvernement déterminerait »[4]. Celle-ci serait exercée par un Comité de Politique Monétaire (CPM) réuni une fois par mois et dont les procès-verbaux de réunion seraient rendus publics.

Cette indépendance limitée à la sphère opérationnelle fut la réponse de Gordon Brown au défi d'instaurer une politique de long terme crédible. Elle modifia la conduite de la politique monétaire britannique en instaurant l'interdiction quasi-définitive[5] imposée aux gouvernements de manipuler directement les taux d'intérêt, c'est-à-dire de céder à la tentation de mesures expansionnistes pré-électorales au risque de se dédire de leurs engagements de maîtrise de l'inflation. Jusque-là, le gouvernement décidait du niveau de taux d'intérêt qu'il jugeait souhaitable et en informait la Banque d'Angleterre, dont le rôle était consultatif et exécutif. La transparence de ce cadre consultatif, instaurée à partir de 1992[6], n'avait rendu que plus patent le refus du dernier chancelier de l'Échiquier conservateur, Kenneth Clarke, de suivre les injonctions du gouverneur de la Banque d'Angleterre, Eddie George. La réforme de Gordon Brown assura néanmoins au gouvernement la définition de la politique monétaire, ainsi qu'un certain degré de contrôle de la Banque d'Angleterre.

En octroyant l'indépendance opérationnelle à la Banque d'Angleterre, le nouveau gouvernement travailliste[7] comptait crédibiliser sa politique monétaire, renforcer la confiance des marchés, réduire les anticipations inflationnistes et faciliter la stabilisation. Il pensait que le système gagnerait en flexibilité :

1 – HM Parliament, *Bank of England Act, 1946*, <http://www.legislation.gov.uk/1946?title=bank%20of%20england%20act>.

2 – HM Parliament, *Bank of England Act, 1998*, Part II, §10, <http://www.legislation.gov.uk/ukpga/1998/11/1998-06-01>.

3 – De mai 1997 à 2006, le CPM modifia le taux « repo » auquel la Banque d'Angleterre emprunte aux banques commerciales. À partir de 2006, il a agi sur le *Bank Rate*, taux auquel la Banque d'Angleterre rémunère les réserves des banques commerciales.

4 – Gordon Brown, "The New Monetary Policy Framework", Letter to the Governor of the Bank of England, London, 5 May 1997.

5 – La loi de 1998 a prévu que le gouvernement puisse, de manière très temporaire, donner des instructions à la Banque d'Angleterre en ce qui concerne les taux d'intérêt (*override mechanism*). Cette clause est restée inutilisée jusqu'à ce jour, même après la crise financière de 2008.

6 – Voir § « L'ancrage de la réforme de Gordon Brown dans l'histoire monétaire britannique », *infra*.

7 – Voir Labour Party, *A New Economic Future for Britain: Economic and Employment Opportunities For All*, Final Report of the Economic Policy Commission and agreed by the National Executive Committee in July, London, 1995; et Ed Balls and Gus O'Donnel (dir.), *Reforming Britain's Economic and Fiscal Policy: Towards Greater Economic Stability*, Basingstoke, Palgrave/Macmillan, 2002.

la Banque d'Angleterre apporterait des réponses immédiates en cas de chocs externes, sans risque de revirement inflationniste. Le nouveau cadre renforcerait aussi l'efficacité de la gestion du pays, le gouvernement se concentrant sur la politique budgétaire et la Banque d'Angleterre sur la politique monétaire[8].

Un autre élément phare de la réforme de la politique monétaire concerna la définition gouvernementale de la stabilité des prix. Gordon Brown[9] passa de la fourchette cible à 2,5 % ou moins du *RPIX*[10], fixée par son prédécesseur, à un taux cible symétrique arrêté à 2,5 % du *RPIX*. Il s'agissait là d'une véritable innovation internationale, dans la mesure où la plupart des pays ayant recours au ciblage direct de l'inflation avaient plutôt des fourchettes cibles[11]. Le taux cible devait supprimer la tentation sécuritaire de viser systématiquement le taux zéro tandis qu'une certaine flexibilité demeurerait possible jusqu'à des points d'alerte situés à ± 1 point de pourcentage de part et d'autre de la cible. Enfin, en décembre 2003[12], Gordon Brown changea d'indicateur en faveur de l'indice des prix à la consommation, l'IPC, équivalent britannique de l'IPCH d'Eurostat. Pour tenir compte des différences de composition et de calcul entre les deux indices, la nouvelle valeur cible fut réduite à 2 % d'IPC.

UNE STABILITÉ MONÉTAIRE BRITANNIQUE REMARQUABLE DE 1997 À 2007

Les dix années qui s'écoulèrent entre la réforme de la politique monétaire de Gordon Brown et l'éclatement de la crise financière affichent une succession de redressements et de diminutions alternés du taux d'intérêt. Sur l'ensemble de la période, on observe globalement un tassement de l'amplitude de variation à un niveau moyen plus faible. Le taux repo a été, en moyenne, à 5,15 %, avec un minimum à 3,5 % et un maximum à 7,5 %. Par comparaison, de 1987 à 1997[13], il avait été en moyenne à 9,20 %, avec un minimum à 5,25 % en 1994 et un maximum à 15 % d'octobre 1989 à octobre 1990.

8 – La Banque d'Angleterre se vit en effet libérée de ses anciennes tâches de gestion de la dette du gouvernement par adjudication hebdomadaire des bons du Trésor, transférée au Bureau de gestion de la dette publique (*Debt Management Office*, DMO) et de supervision des banques, transférée à l'Autorité de surveillance des services financiers (*Financial Services Authority*, FSA). Voir Marie-Claude Esposito, Nathalie Champroux et Bernard Offerlé, *Le renouveau de l'économie britannique*, Paris, Economica, 2007, chapitre 8.

9 – Gordon Brown, "Remit for the Monetary Policy Committee", Letter to the Governor of the Bank of England, 12 June 1997.

10 – Le *Retail price index excluding mortgage interest payments (RPIX)* est l'indice des prix de détail hors paiement des intérêts hypothécaires.

11 – Voir Ed Balls and Gus O'Donnel, dir., *Reforming Britain's Economic and Fiscal Policy*, *op. cit.*, Table 5.4, p. 84. Il est d'ailleurs à noter qu'en 2003, le Conseil des gouverneurs de la Banque Centrale Européenne (BCE) a précisé qu'il viserait à maintenir « des taux d'inflation à des niveaux inférieurs à, mais proches de, 2 % à moyen terme », rapprochant ainsi la cible européenne du taux cible britannique. European Central Bank, "The definition of price stability", <https://www.ecb.europa.eu/mopo/strategy/pricestab/html/index.en.html>.

12 – HM Treasury, *Remit for the Monetary Policy Committee of the Bank of England and the New Inflation Target*, London, 10 December 2003.

13 – Si l'on considère l'ensemble de la gestion conservatrice précédant l'arrivée au pouvoir du *New Labour*, soit de mai 1979 à mai 1997, on relève un taux repo situé en moyenne à 10,50 %.

Cette tendance du taux d'intérêt s'est accompagnée d'une stabilité relative de l'inflation à un niveau inférieur également[14]. L'inflation[15] a été en moyenne de 2,27 % de 1997 à 2007, avec un taux maximal à 3,2 % enregistré en mai 1998. Sous la décennie conservatrice précédente[16], elle avait été en moyenne de 4,3 %, avec un maximum à 9,5 % mesuré en septembre et en octobre 1990. Sur ses dix premières années d'existence, le CPM est parvenu à respecter le cadre instauré par Gordon Brown. Entre 1997 et 2003, le *RPIX* est resté autour de sa cible de 2,5 %, avec un seul écart à -1 point de la cible en juin 2002. De 2004 à 2007, avec la nouvelle cible à 2 % de l'IPC, le CPM n'a dû justifier que d'un seul dépassement, de +1,1 point, en mars 2007 - un record de stabilité que gouverneur de la Banque d'Angleterre, Mervyn King, ne manqua pas de souligner[17].

Les bons résultats macroéconomiques britanniques qui ont précédé la crise financière et économique ont aussi concerné la croissance du PIB. Cette croissance fut toujours positive, égale ou supérieure à 3 % de 1997 à 2001, puis oscillant entre 2,3 % et 3,3 % entre 2002 et 2007. Même lors de la période de trouble international marqué de l'automne 2001, le Royaume-Uni parvint à sortir de la crise plus rapidement que ses voisins européens, la Banque d'Angleterre ayant rapidement pris des mesures de détente salvatrice à court terme[18]. Le CPM a en effet eu tendance à opposer des réponses plus modérées à l'inflation que ses prédécesseurs, mais à être plus sensible à l'écart de production, évolution qu'Alexander Mihailov souligne en l'expliquant par les objectifs confiés par la loi au comité et par la conjoncture[19]. D'autres facteurs que la politique monétaire ont aussi contribué à la réalisation de la croissance non-inflationniste, tels que la politique fiscale et l'intégration de pays émergeants dans l'économie globalisée[20].

Dans le domaine monétaire, l'amélioration de la situation britannique durant la première décennie du *New Labour* tend à être vue comme le fruit de la réforme élaborée par Gordon Brown. Luca Benati a en effet montré que la persistance d'un niveau d'inflation n'est pas une caractéristique intrinsèque structurelle de l'économie, mais dépend bien du régime monétaire en place[21]. La réforme paraît avoir atteint ses objectifs interdépendants d'accroissement

14 – Voir graphique en annexe.

15 – Calcul de moyennes de l'auteur à partir des statistiques d'évolution du *RPIX* d'un mois sur le mois correspondant de l'année précédente publié par l'*Office for National Statistics*, <https://www.ons.gov.uk/>. Le *RPIX* a été sélectionné ici comme référence unique pour les besoins de ces premières comparaisons, le premier calcul d'IPC datant de 1996 et les estimations rétroactives ne remontant qu'à 1988.

16 – Sur l'ensemble de la gestion conservatrice, de mai 1979 à mai 1997, l'inflation a été en moyenne de 4,3 % également.

17 – Mervyn King, "Letter from the Governor to the Chancellor 17 April 2007", London, Bank of England, 17 April 2007.

18 – Entre le 11 septembre et la fin de l'année 2001, la Banque d'Angleterre a diminué progressivement son taux repo de 1 point, le faisant passer de 5 % à 4 %.

19 – Alexander Mihailov, "Operational Independence, Inflation Targeting, and UK Monetary Policy", *Journal of Post Keynesian Economies*, Vol. 28, No. 3, Spring 2006, p. 395-421.

20 – Bank of England, "Report: The Monetary Policy Committee of the Bank of England: ten years on", *Quarterly Bulletin*, Vol. 47, No. 1, 2007, p. 24-38.

21 – Luca Benati, "UK monetary regimes and macroeconomic stylised facts", *Working Paper of the Bank of England*, London, Bank of England, No. 290, 2006.

de la crédibilité et d'amélioration de l'efficacité de la politique monétaire, au moyen de davantage de clarté et de durabilité des objectifs, de transparence, et d'indépendance concernant l'exécution des mesures. Sur cette dernière caractéristique, un doute persiste quant à l'efficacité absolue de la réforme. D'abord, quatre des neuf experts du CPM sont choisis par le chancelier de l'Échiquier. Ensuite, les élections législatives de juin 2001 et de mai 2005, décidées par le Premier ministre, Tony Blair, ont coïncidé avec une phase de réduction du taux d'intérêt pour la première, et de stabilité longue pour la seconde. Dans leurs campagnes électorales, les gouvernements travaillistes sortants se sont d'ailleurs largement attribué la paternité des bonnes conditions monétaires[22]. Malgré ce doute sur l'indépendance réelle de la politique monétaire, la confiance des marchés dans les engagements monétaires à long terme s'est accrue, ce qui s'est concrètement manifesté par une chute des anticipations d'inflation qui se sont progressivement alignées sur l'inflation[23]. Les pressions inflationnistes se sont bel et bien relâchées dans un cercle enfin vertueux.

L'ANCRAGE DE LA RÉFORME DE GORDON BROWN DANS L'HISTOIRE MONÉTAIRE BRITANNIQUE

Il est évidemment impossible de considérer la remarquable stabilité monétaire britannique des années *New Labour* sans examiner davantage la période qui l'a précédée. Cet examen révèle que l'inflation avait considérablement ralenti après l'installation du nouveau cadre de la politique monétaire[24]. Une fois la récession de 1990-1992 terminée, l'inflation passa d'une valeur à 3,7 % en 1992, à 1,6 % en 1993, 2,5 % en 1994, 3,4 % en 1995, 2,4 % en 1996 et 3,1 % en 1997. Il est à noter que, parmi ces valeurs, la plus haute, à 3,4 % en 1995, fut l'équivalent de la valeur la plus *basse* relevée lors de la période de croissance économique précédente, entre la fin de la récession de 1980-1981 et le début de celle de 1990-1992[25]. Entre 1992 et 1997, le taux du *RPIX* fut de 2,7 % en moyenne et, en mai 1997, l'équipe de Tony Blair hérita d'un taux d'inflation qui était déjà descendu à 2,5 %. Sur le front des taux d'intérêt, le taux repo avait déjà été réduit à 6 % en mai 1997. Sur les dix années de *New Labour* qui suivirent, il ne fut finalement diminué que de 0,25 point au total. Enfin, pour ce qui est de la croissance économique, elle s'était déjà réinstallée durablement depuis septembre 1992, avec une moyenne annuelle supérieure à 2 % entre 1993 et 1997, montrant un pic à

22 – Voir Labour Party, *Ambitions for Britain, 2001 Labour Party General Election Manifesto*, London, 2001 ; Labour Party, *Britain forward not back, The Labour Party Manifesto 2005*, London, 2005 ; Nathalie Champroux, « La situation économique du Royaume-Uni, quel enjeu pour les élections de 2005 ? », in Bernard d'Hellencourt et Gilles Leydier, dir., *Revue française de civilisation britannique*, vol. XIII, n° 3 : *Les élections législatives de 2005 au Royaume-Uni*, Paris, CRECIB, automne 2005, p. 119-130.

23 – HM Treasury, *Building Britain's long-term future: Prosperity and fairness for families, Budget 2007*, London, 21 March 2007, p. 21.

24 – Voir graphique en annexe.

25 – Sur cette période de stabilité économique de 1981 à 1990, le taux d'inflation avait été en moyenne de 5,7 %, avec un pic à 6,1 % en 1985 et à 9,5 % en 1990.

4,4 % en 1994 et des taux au-dessus de 2,5 % en 1995 et 1996. Le Royaume-Uni se trouvait donc dans une situation économique et monétaire caractérisée par davantage de stabilité et de durabilité, sous les gouvernements de John Major, que sous les gouvernements précédents de Margaret Thatcher.

L'une des explications principales de la situation de stabilité monétaire durable héritée par Gordon Brown est l'installation du ciblage direct de l'inflation au Royaume-Uni à partir de l'automne de 1992. La crise généralisée du Mécanisme de change européen (MCE) du Système monétaire européen de septembre 1992, lors de laquelle la livre dut être retirée du mécanisme, entraîna une redéfinition de la politique monétaire britannique par le chancelier de l'Échiquier conservateur, Norman Lamont. Depuis l'effondrement du système monétaire international de Bretton Woods au début des années 1970, les autorités monétaires britanniques avaient expérimenté différentes stratégies pour maîtriser l'inflation, dont aucune ne s'était avérée pérenne. Sous l'influence du FMI, elles s'étaient orientées vers l'adoption de préceptes monétaristes. La Stratégie financière à moyen terme (*Medium Term Financial Strategy, MTFS*), instaurée en 1979, avait consisté à utiliser différents instruments monétaires (et budgétaires) de façon à atteindre des cibles d'agrégats monétaires[26]. À partir de 1985, le *Treasury* avait davantage été tenté par une participation de la livre sterling au MCE, car les participants à ce mécanisme, dont la politique monétaire était guidée par la *Bundesbank*, affichaient une meilleure stabilité monétaire que le Royaume-Uni. La livre sterling avait rejoint le MCE en octobre 1990, mais pour deux années seulement.

À partir de l'automne de 1992, les autorités monétaires britanniques se concentrèrent directement sur les taux d'inflation : ceux qu'elles étaient en capacité de prédire, ceux qu'elles souhaitaient réellement, l'écart entre les deux et les actions possibles pour réduire cet écart, en tenant compte du délai incompressible (le *time lag*) entre les décisions monétaires et l'effet de ces décisions sur l'inflation. À l'instar de la Nouvelle Zélande et du Canada, mais sans grande conviction, elles se résolurent à l'adoption de la « moins mauvaise solution »[27] qui se présentait et qui allait devenir la stratégie monétaire de la plupart des pays industrialisés[28] : la poursuite d'un objectif direct d'inflation. Le premier objectif, fixé en octobre 1992[29], fut d'atteindre un taux cible inférieur ou égal à 2 %

26 – Geoffrey Howe, "Budget Statement", *Hansard Report*, House of Commons, London, 1979-1980, Vol. 981, 26 March 1980, col. 1439-90; et HM Treasury, *1980 Financial Statement and Budget Report* (*Red Book*), London: 26 March 1980, p. 16-19.

27 – Voir l'un des documents de préparation de la redéfinition de la politique monétaire britannique en septembre 1992 : "PDF file of 'The Government's Inflation Objective' -Should we Target Inflation Directly?: 29 September 1992",
<https://webarchive.nationalarchives.gov.uk/20130304161249/http://www.hm-treasury.gov.uk/foi_introduction_of_inflation_targets_2005.htm#primaryContent>, p. 7.

28 – Sur le fait que la pratique peut précéder la théorie elle-même en constante évolution, voir Mervyn King, "Monetary Policy: Practice Ahead of Theory", Speech given at the Mais Lecture, Cass Business School, 17 May 2005 ; et Forrest Capie et Geoffrey Wood, *Policy Makers on Policy*, Routledge, 2015.

29 – Norman Lamont, "Letter to John Watts, Chairman of the Treasury and Civil Service Committee of the House of Commons", London, HM Treasury, 8 October 1992.

du *RIPX* d'ici le printemps de 1997 et de maintenir le taux d'inflation dans une fourchette s'étendant de 1 % à 4 % maximum dans l'intervalle. En 1995, le second chancelier de l'Échiquier de John Major, Kenneth Clarke, réduisit l'objectif à une fourchette cible à 2,5 % ou moins du *RPIX*[30]. Les agrégats monétaires et le taux de change furent relégués au rang de simples indicateurs. Les autorités monétaires britanniques furent confortées dans une attitude prévisionnelle (le *forward-looking*) plutôt que correctrice, qui consistait à agir immédiatement, à partir de prévisions d'inflation, afin d'obtenir un certain taux dans le futur. Cette stratégie de long terme fut mise en avant par le gouverneur de la Banque d'Angleterre, Robin Leigh-Pemberton[31]. Enfin, un certain nombre de changements institutionnels furent apportés. Dès 1992, la Banque d'Angleterre fut tenue de publier trimestriellement, dans ses *Rapports sur l'inflation* (*Inflation Reports*), ses mesures de performances et ses prévisions d'inflation relatives à la cible gouvernementale. Furent aussi instaurées des réunions mensuelles entre le chancelier de l'Échiquier et le gouverneur de la Banque d'Angleterre entourés de leurs experts, réunions dédiées à la fixation des taux d'intérêt et dont les procès-verbaux furent bientôt publiés. Enfin, la Banque d'Angleterre se vit confier le choix de la date de modification du taux repo. Il s'agissait là d'une avancée considérable vers l'indépendance de la Banque d'Angleterre qui, pour reprendre les termes de Mervyn King, se voyait gratifiée de « l'indépendance de la parole, sinon [de] celle de l'action »[32].

En arrivant au pouvoir, Gordon Brown hérita donc, d'une part, d'une économie déjà remise sur les rails de la croissance et de la stabilité grâce, aux politiques de stabilité budgétaire et fiscale appliquées dès mai 1993 par Kenneth Clarke. D'autre part, il disposa des fondations déjà bien érigées d'une politique monétaire efficace et durable. Par conséquent, s'il est permis d'avancer que le nouveau cadre de la politique monétaire installé par Gordon Brown a favorisé le maintien de cette stabilité durable, il convient de préciser qu'il n'en a pas été le point de démarrage. Celui-ci fut plutôt, à partir de 1992, un ensemble de mesures dans le cadre d'une réforme de la politique monétaire britannique attendue depuis plus de vingt ans, et qui ouvrit la voie à une période « constamment expansionniste mais non-inflationniste »[33].

30 – Kenneth Clarke, "Budget Statement", *Hansard Report*, House of Commons, London, 1995-1996, Vol. 267, 28 November 1995, col. 1057; et "Budget Resolutions and Economic Situation", *Hansard Report*, House of Commons, London, 1995-1996, Vol. 267, 29 November 1995, col. 1249.

31 – Voir, par exemple, Robin Leigh-Pemberton, "The Case for Price Stability", Lecture to the LSE, 11 November, in *Bank of England Quarterly Bulletin*, Vol. 32, No. 4, November 1992, p. 441-8.

32 – Mervyn King, "Changes in UK monetary policy: Rules and discretion in practice, *Journal of Monetary Economics*, No. 39, 1997, p. 81-97.

33 – L'expression "***non-inflationary consistently expansionary***", ou plutôt son acronyme symbolique "*nice*", fut utilisée, en 2003 par le gouverneur de la Banque d'Angleterre, Mervyn King, pour qualifier la décennie qui venait de s'écouler. Mervyn King, *Speech*, 14 October 2003, East Midlands Development Agency/Bank of England Dinner, Leicester.

L'ANCRAGE DE LA RÉFORME DE GORDON BROWN DANS LA GRANDE MODÉRATION

Il a beaucoup été question, jusqu'à l'éclatement de la crise financière[34], de la survenue d'un phénomène économique baptisé « Grande modération » (*Great Moderation*)[35], c'est-à-dire d'une diminution de la volatilité macroéconomique observé dans les pays du G7 et au-delà. Le concept est né de l'étude de la diminution de la volatilité de la croissance du PIB réel, couplée à celle de la volatilité de l'inflation, qui a été constatée à partir du milieu des années 1980 aux États-Unis[36]. Le Royaume-Uni fut l'un des derniers pays à expérimenter sa Grande modération à partir de 1992.

Les causes avancées pour expliquer cette Grande modération relèvent de trois catégories[37]. Premièrement, la volatilité de la production aurait été atténuée par des modifications de la structure des économies, notamment par l'amélioration de la gestion des stocks due à l'utilisation accrue des nouvelles technologies permettant la fabrication à flux tendus[38]. Deuxièmement, citant l'absence de répétition des chocs pétroliers des années 1970, plusieurs économistes ont avancé l'explication d'un « facteur-chance » (*good luck*) : les chocs externes seraient plus espacés, et de moindre ampleur, depuis les années 1980[39]. Cette explication n'est pas la préférée des autorités monétaires américaines qui, d'une part, ont refusé de se résoudre à son caractère dangereusement aléatoire[40] et, d'autre part, ont souligné que les crises traversées par les États-Unis au cours de la Grande modération n'étaient pas exactement moindres que les précédentes[41]. La troisième cause de la Grande modération serait l'amélioration des politiques macroéconomiques, dont la politique monétaire. Il est vrai que dans ce domaine, la science économique a considérablement évolué. À partir,

34 – En réalité, la crise financière n'aurait été qu'une interruption et non la fin du phénomène. Voir Chen Wenjuan, "On the Continuation of the Great Moderation: New Evidence from G7 Countries", Sonderforschungsbereich (SFB) 649 *Discussion Paper*, Humboldt University, Berlin, 2011 ; Eric Heyer et Xavier Timbeau, dir., « La nouvelle Grande Modération?, Perspectives 2017-2019 pour l'économie mondiale et la zone euro », *Revue de l'OFCE* 2017/3 (n° 152), mars 2017, p. 13-128 ; et Hasan Engin Duran, "Structural change and output volatility reduction in OECD countries: evidence of the Second Great Moderation", *Journal of Economic Structures*, 2019.

35 – Les Britanniques parlent plutôt de « Grande stabilité » (*Great Stability*).

36 – Voir notamment l'étude séminale d'Olivier Blanchard et John Simon, "The long and large decline in U.S. output volatility", *Brookings Papers on Economic Activity*, No. 1, 2001, p. 135-74.

37 – Voir Peter M. Summers, "What Caused the Great Moderation? Some Cross-Country Evidence", *Economic Review*, Federal Reserve Bank of Kansas City, Q3 2005, p. 5-32.

38 – Voir Margaret McConnell et Gabriel Perez-Quiros, "Output fluctuations in the United States: What has changed since the early 1980's?", *American Economic Review*, No. 90, 2000, p. 1464-76. Relèvent également de la catégorie de modifications de la structure des économies le développement du secteur des services, moins sujet aux aléas de production que l'industrie ; la déréglementation ayant introduit davantage de flexibilité bénéfique en cas de chocs ; et l'ouverture des économies en matière de commerce international et d'échange de capitaux qui renforcerait la stabilité.

39 – Voir James Stock and Mark Watson, "Has the Business Cycle Changed? Evidence and Explanations", Federal Reserve Bank of Kansas City symposium, Jackson Hole, Wyoming, 28-30 August 2003.

40 – Voir Ben Bernanke, Remarks by the Governor Ben S. Bernanke at the meetings of the Eastern Economic Association, Washington DC, 20 February 2004.

41 – Voir Craig S. Hakkior, "The Great Moderation, 1982-2007", Federal Reserve History, 22 November 2013, <https://www.federalreservehistory.org/essays/great_moderation?WT.si_n=Search&WT.si_x=3>.

notamment, des études empiriques d'Alban William Phillips (1914-1975) l'inflation avait longtemps été considérée comme un mal inévitable accompagnant la croissance. Au cours des années 1970, la conviction est née que la stabilité des prix était au contraire une condition nécessaire à la croissance, et que cette stabilité était du ressort de la politique monétaire en capacité de réduire la quantité de monnaie en circulation. Les méthodes, les indicateurs et les instruments de lutte contre la croissance des prix ont également pu être affinés une fois l'inflation clairement identifiée comme étant un phénomène purement monétaire.

Il semblerait que le passage au ciblage direct de l'inflation ait significativement aidé à la diminution du niveau, et de la volatilité, de la croissance des prix[42]. Néanmoins, tous les experts ne sont pas de cet avis. Mervyn King a souligné que si, dans la plupart des pays ayant choisi le ciblage direct de l'inflation, la croissance des prix a été divisée par deux, les États n'ayant pas opéré ce choix bénéficièrent également d'un ralentissement équivalent de l'inflation dans les années 1990 - à l'exception de l'Allemagne réunifiée[43]. La véritable différence est que les pays ayant adopté le ciblage direct de l'inflation seraient mieux parvenus que les autres à assurer une croissance économique non-inflationniste.

Concernant le Royaume-Uni, la plupart des économistes s'accordent à valider l'amélioration de la politique monétaire comme étant l'une des causes du phénomène de la Grande modération[44]. Mervyn King associe directement le ciblage de l'inflation et l'indépendance des banques centrales à ce phénomène[45]. Pour l'ancien gouverneur de la Banque d'Angleterre, le cadre tout entier de la politique monétaire britannique (le ciblage direct de l'inflation, le principe de « discrétion sous contrainte », celui de transparence et de responsabilité vis-à-vis du gouvernement, etc.) a *aidé* le CPM à atteindre son objectif statutaire de stabilité des prix et de croissance[46].

La question reste néanmoins entière de la portée réelle de la réforme de Gordon Brown à l'intérieur du cadre général de la politique monétaire installé à partir de 1992. Les résultats macroéconomiques britanniques n'ont pas été spectaculairement meilleurs après 1997 qu'avant. Il est donc tentant de supposer, en considérant le phénomène de Grande modération, que de meil-

42 – Voir Marco Vega et Diego Winkelried, "Inflation Targeting and Inflation Behavior: A Successful Story?", *International Journal of Central Banking*, December 2005, p. 153-175.

43 – Mervyn King, "The Inflation Target five years on", Lecture delivered at the London School of Economics, 29 October 1997.

44 – Alvaro Angeris et Philip Aresti se sont employés à démonter l'évidence d'une meilleure performance du régime monétaire britannique par rapport au régime États-Uniens, que ce soit pour réduire l'inflation ou pour stabiliser ses taux (Alvaro Angeriz et Philip Arestis, "Monetary policy in the UK", *Cambridge Journal of Economics*, Vol. 31, 2007, p. 863-884). Luca Benati a démontré que la persistance de l'inflation est plus faible dans les pays, dont le Royaume-Uni, ayant choisi le ciblage de l'inflation, que dans les autres, dont les États-Unis (Luca Benati, "Investigating inflation persistence across monetary regimes", *The Quarterly Journal of Economics*, Vol. 123, No. 3, 2008, p. 1005-60).

45 – Voir Mervyn King, *The End of Alchemy: Money, Banking and the Future of the Global Economy*, Little, Brown Book Group, 2016, Chapter 1: The Good, the Bad and the Ugly.

46 – Voir Mervyn King, "What has Inflation Targeting achieved?", in Ben.S. Bernanke and Michael Woodford, dir., *The Inflation Targeting Debate*, Chicago, University of Chicago Press, 2004.

leures performances, qui auraient dû se produire avec l'affinage du cadre de la politique monétaire par le *New Labour*, ont été empêchées par une régression des autres facteurs. Ainsi, à l'intérieur du facteur « amélioration des politiques macroéconomiques », l'hypothèse d'une meilleure efficacité de la politique monétaire après 1997 suggérerait une moins bonne politique budgétaire, par exemple. En considérant l'ensemble des facteurs, il est aussi possible de conclure que l'efficacité présumée de la réforme de la politique monétaire n'a pas été en mesure de compenser les lacunes en matière de modification de la structure de l'économie britannique. Dan Corry, Anna Valero et John Van Reenen[47] ont démontré que la croissance constante du PIB britannique avait été soutenue par une augmentation de la productivité issue de la montée en puissance de nouvelles compétences et des technologies, mais ils ont aussi souligné qu il restait beaucoup à accomplir dans ce domaine. Concernant le « facteur-chance », en revanche, il est à noter que Luca Benati[48] considère que ce facteur l'a probablement emporté. De son analyse consacrée uniquement au cas britannique, l'économiste a déduit qu'un retour à la politique monétaire des années 1970 n'aurait pas eu de grande incidence sur la Grande modération au Royaume-Uni, discréditant ainsi l'influence du cadre du ciblage direct de l'inflation tout entier, que ce soit avant ou après la réforme de Gordon Brown.

De la première décennie de gestion économique du Royaume-Uni par le Parti travailliste renouvelé, l'histoire retiendra l'installation d'un nouveau cadre de la politique monétaire, suivie de performances remarquables en matière de stabilité des prix et de croissance du PIB, et ce jusqu'à l'éclatement de la crise financière.

À son arrivée au pouvoir en 1997, le nouveau chancelier de l'Échiquier, Gordon Brown, a réformé la politique monétaire en place avec l'adoption d'une cible d'inflation à un taux précis symétrique et l'octroi de l'indépendance opérationnelle à la Banque d'Angleterre. Ce furent deux innovations majeures au regard, la première, du choix répandu à l'étranger du ciblage de fourchettes de taux d'inflation et, la seconde, de la tradition britannique d'une obligation imposée aux autorités économiques nationales de répondre de leurs actes face au peuple. Néanmoins, Gordon Brown n'a pas procédé à une refonte radicale du cadre de la politique monétaire en place. Il a bâti sur un régime déjà bien installé par ses prédécesseurs, celui de la poursuite d'une cible directe d'inflation, dans un environnement transparent où le rôle consultatif et opérationnel de la Banque d'Angleterre avait été rendu prégnant.

47 – Dan Corry, Anna Valero et John Van Reenen, *UK Economic Performance Since 1997: Growth, Productivity and Jobs*, Centre for Economic Performance, London School of Economics & Political Science, November 2011.
48 – Luca Benati, "The 'Great Moderation' in the United Kingdom", *Journal of Money, Credit and Banking*, Vol. 40, No. 1, February 2008.

Au cours de la décennie qui suivit la réforme, l'économie britannique afficha une tendance à la croissance constante du PIB, toujours située au-dessus de 2 % (en moyenne annuelle), et ce sans poussée inflationniste ; le taux d'inflation resta proche de sa cible de long terme, à l'exception d'un écart. La mission confiée au CPM fut donc excellemment remplie. Ces résultats sont toutefois à replacer dans le contexte de la Grande modération, Ce phénomène de diminution de la volatilité macroéconomique, constaté dans la plupart des pays développés, qui démarra au Royaume-Uni dès 1992, remet en perspective la portée de la réforme de la politique monétaire de Gordon Brown. D'une part, la Grande modération est antérieure à la réforme. D'autre part, sa manifestation ne paraît pas meilleure de 1997 à 2007 à ce qu'elle fut de 1992 à 1997. Si l'on s'en réfère aux causes généralement invoquées pour expliquer le phénomène de Grande modération, cela pourrait signifier soit que la réforme de Gordon Brown n'a pas augmenté l'efficacité de la politique monétaire après 1997, soit que cette efficacité accrue n'a pas été en mesure de compenser les lacunes dans d'autres domaines, en matière de politique budgétaire ou de modification de la structure de l'économie britannique, par exemple.

ANNEXE **TAUX D'INFLATION BRITANNIQUE, 1990-2007**

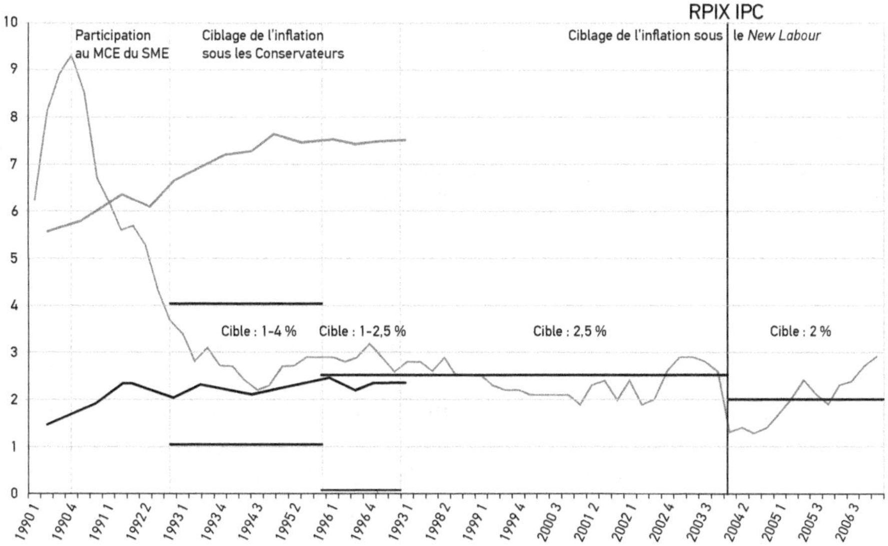

PETITE ET AGILE : COMMENT LA NOUVELLE-ZÉLANDE RÉVOLUTIONNA LA POLITIQUE MONÉTAIRE

Sylviane de Saint Seine
Chercheuse associée à la Sorbonne Nouvelle et titulaire d'un doctorat en études du monde anglophone de l'Université Sorbonne Nouvelle

Premier pays au monde à accorder le droit de vote aux femmes, et à mettre en place un État-providence[1], la Nouvelle-Zélande s'est forgé la réputation d'un laboratoire social. Cette inventivité se manifesta également dans sa politique monétaire : elle fut le premier pays à réformer les statuts de la Banque de Réserve de Nouvelle-Zélande (*RBNZ*) à la lumière des nouvelles théories, tant sur l'indépendance des banques centrales que sur la nécessité de restreindre le pouvoir étatique. Confrontée dans les années 1970 et 1980 à une situation économiques difficile (inflation élevée, déficits de la balance des paiements et du budget), elle inaugura en 1989 - il y a trente et un ans - le ciblage direct de l'inflation *(inflation targeting)*[2], stratégie de politique monétaire d'un nouveau

1 – La Nouvelle-Zélande fut le premier pays au monde à donner le droit de vote aux femmes, en 1893. Elle fut aussi le premier à réagir à la crise des années 1930 par l'instauration d'un État-providence.

2 – Jusque-là, la tendance était de cibler des objectifs « intermédiaires », tels que la croissance de la masse monétaire.

type se caractérisant par un objectif d'inflation annoncé publiquement, et par le rôle important donné à la transparence et la responsabilité *(transparency and accountability)*.

Cette réforme fut menée par un gouvernement travailliste et, tout particulièrement, par le ministre des Finances Roger Douglas, déterminé à ce qu'un nouveau cadre institutionnel bloque toute possibilité de retour des excès dirigistes et inflationnistes du gouvernement précédent de Robert Muldoon, du Parti national, de centre-droit[3]. Selon l'historien britannique John Singleton, le fait que la *RBNZ* soit une banque centrale relativement petite et agile lui permit de jouer un rôle pionnier. Une banque plus grande et plus bureaucratique, telle que la *Federal Reserve* (des États-Unis), n'aurait pas été encline à innover avec un nouveau mode de conduite de la politique monétaire.

Ce contexte – indépendance des banques centrales dans l'air du temps, et considérations de politique intérieure – a conduit la Nouvelle-Zélande, de façon très pragmatique, à créer un cadre de politique monétaire original, que de nombreux pays (près d'une quarantaine actuellement), allaient copier.

3 – Le Parti national, de centre-droit, est, avec le Parti travailliste, l'un des deux grands partis de gouvernement néo-zélandais.

ABSTRACT

New Zealand in the late 1980s pioneered a new kind of monetary policy based on theories that had just hatched on U.S. university campuses, on central bank independence and the need to curtail state intervention. Faced with high inflation and slow growth, it invented inflation targeting, i.e. the setting of an inflation objective that would be publicized, and for which the central bank would be held responsible. The Bank would report to parliament, a notion that appealed to countries ruled under the Westminster model which asserts the primacy of elected houses: hence Canada, the UK and Australia were early adopters. Since then, inflation targeting has been adopted by countries with contrasting economic regimes, such as Russia or India in 2015, demonstrating its plasticity and resilience.

RÉSUMÉ

La Nouvelle-Zélande a la réputation d'un laboratoire social. Son inventivité et son pragmatisme se sont manifestés également en matière de politique monétaire : elle fut le premier pays à réformer les statuts de la Banque de Réserve de Nouvelle-Zélande à la lumière des nouvelles théories, tant sur l'indépendance des banques centrales que sur la nécessité de restreindre le pouvoir étatique. Confrontée dans les années 1970 et 1980 à une situation économiques difficile (inflation élevée, déficits de la balance des paiements et du budget), elle inaugura en 1989, il y a trente et un ans, le ciblage direct de l'inflation. Cette politique monétaire d'un nouveau type se caractérisait par un objectif d'inflation annoncé publiquement, et par le rôle important donné à la transparence et la responsabilité (*transparency and accountability*). Une quarantaine de pays lui ont, depuis, emboîté le pas, dont l'Inde et la Russie en 2015, signe que l'*inflation targeting* résiste à l'épreuve du temps et s'adapte à une vaste gamme d'économies.

JEL Classification : **E12, E13, E31, E52, E58, E61**

Key words : **accountability, central bank independence, credibility, cross party consensus, inflation targeting, Phillips curve, Public choice theory, Reserve Bank of New Zealand , rules versus discretion, transparency, Westminster model**

Mots clés : **Banque de Réserve de Nouvelle-Zélande, ciblage direct de l'inflation, consensus transpartisan, courbe de Phillips, crédibilité, indépendance des banques centrales, responsabilité, système de Westminster, théorie des Choix publics, transparence**

L'un de ses premiers imitateurs fut la banque centrale de l'ancienne puissance coloniale : la Banque d'Angleterre adopta un régime de ciblage de l'inflation en 1992 et accéda à l'indépendance en 1997.

Cet article se référera de préférence, mais pas exclusivement, à des travaux et recherches publiés dans les années 1980 et 1990, l'objectif étant de montrer la genèse intellectuelle de l'accession de la *Reserve Bank of New Zealand* (*RBNZ*) à l'indépendance. Les bilans tirés de ces réformes seront également évoqués.

LE CONTEXTE : UNE ÉCONOMIE EN DÉCLIN

Le nouveau régime de politique monétaire est apparu avec la Loi sur la Banque de Réserve de Nouvelle-Zélande votée en décembre 1989 et promulguée en février 1990. Jusque-là, la Banque de Réserve de Nouvelle-Zélande était totalement soumise au gouvernement de Wellington[4]. La loi de 1964 définissant jusque-là la mission de la *RBNZ*, confiait au ministre des Finances le pouvoir de dicter à la banque la politique monétaire. Par ailleurs, celle-ci devait atteindre une profusion d'objectifs : « Le ministère (des Finances) pourra de temps en temps informer la banque de la politique monétaire du gouvernement, dont l'objectif sera le maintien et à la promotion du bien-être économique et social en Nouvelle-Zélande en tenant compte de la désirabilité de favoriser le plus haut niveau de production, de commerce et d'emploi, et de maintenir la stabilité des prix intérieurs »[5]. Ces objectifs s'avérèrent illusoires.

Le gouvernement opéra la réforme de 1989 sous la pression d'une économie en mauvais état : l'inflation était élevée, le taux annuel moyen de croissance des prix atteignant environ 12 % par an dans les années 1970 et 1980. La croissance économique était faible, et les déficits tant de la balance des paiements courants que du budget dépassaient 6 % du PIB. Entre 1960 et 1985, la Nouvelle-Zélande avait vu son classement au sein de l'OCDE, en termes de PIB par habitant, passer de la 3e à la 17e place sur 24 pays membres.

Après la victoire en 1975 du Parti national, Muldoon tenta pendant neuf ans, par tous les moyens, de maintenir l'État-providence instauré à la fin des années 1930. Or les chocs pétroliers qui se succédèrent après 1973, combinés à l'adhésion cette même année du Royaume-Uni à la Communauté économique

4 – La *RBNZ*, créée en 1934 par une Nouvelle-Zélande soucieuse de dissocier sa politique monétaire de celle de l'Australie, fut nationalisée en 1936 par un gouvernement travailliste nouvellement élu, qui accrut la mainmise du gouvernement sur ses opérations. Sa création avait été préconisée par Sir Otto Niemeyer, un responsable de haut rang de la Banque d'Angleterre. Son premier gouverneur Leslie Lefeaux venait aussi de la Banque d'Angleterre, sur la recommandation de son gouverneur Montagu Norman. Selon l'historien John Singleton, la *RBNZ* en 1939 était la plus soumise des banques centrales des *dominions* britanniques.

5 – "The Minister (of Finance) may from time to time communicate to the bank the monetary policy of the Government, which shall be directed to the maintenance and promotion of economic and social welfare in New Zealand having regard to the desirability of promoting the highest degree of production, trade, and employment and of maintaining a stable internal price level", Arthur Grimes, "Four Lectures on Central Banking", 4 February 2014, *Motu Economic and Public Policy Research Working Paper* No. 14-02, p. 5. <http://ssrn.com/abstract=2390935>

européenne, qui privait la Nouvelle-Zélande d'un de ses principaux marchés, nécessitaient une remise en cause des contours de cet État-providence.

Muldoon, qui était ministre des Finances en même temps que Premier Ministre, tenta sans succès de juguler l'inflation et les déséquilibres, tant des finances publiques que des comptes extérieurs, par des mesures autoritaires, telles que le contrôle des prix et des salaires et un taux de change fixe et ce, contre l'avis tant de la *RBNZ* que du *Treasury*. Il imposa une politique monétaire accommodante pour atténuer les effets du choc pétrolier et des autres aléas économiques sur les revenus et l'emploi. Pour des historiens tels que Singleton, ce sont le style autoritaire et le populisme de Muldoon, et leurs résultats économiques désastreux, qui poussèrent Douglas, son successeur aux Finances, à vouloir donner son indépendance à la *RBNZ*. « Douglas voulait essentiellement rendre la *RBNZ* invulnérable à des politiciens de type Muldoon »[6], écrivait Singleton. Citant un rapport de l'Organisation de Coopération et de Développement Économiques (OCDE), Singleton estima que la Nouvelle-Zélande sous Muldoon était devenue le pays le plus réglementé du monde libre dans la période 1982-1984.

LA COURBE DE PHILLIPS REMISE EN CAUSE

L'inflation élevée sévissant en Nouvelle-Zélande n'y avait pas été compensée par une forte croissance économique, ce qui invalidait la courbe de Phillips, si vénérée des Keynésiens. La courbe de Phillips renvoie aux travaux empiriques de l'économiste néo-zélandais William Phillips[7], publiés en 1958, qui avaient montré une relation négative entre l'augmentation des salaires et celle du chômage à partir de données chiffrées sur l'Angleterre entre 1867 et 1957. Théorisée en 1960 par Richard Lipsey[8], économiste canadien alors en poste à la *London School of Economics* (*LSE*), elle montrait une relation inverse entre l'inflation et le chômage, où plus l'inflation augmentait, plus le chômage diminuait et inversement. La même année, Paul Samuelson et Robert Solow calculèrent une courbe de Phillips pour l'économie américaine et l'interprètent comme une possibilité, pour les gouvernements, d'arbitrer entre moins de chômage mais plus d'inflation, ou *vice-versa*[9]. Pour certains économistes[10], les travaux de Samuelson et les politiques économiques qu'ils inspirèrent

6 – "In essence, Douglas wanted to 'Muldoon-proof' the RBNZ", John Singleton, *Central Banking in the Twentieth Century*, Cambridge, Cambridge University Press, 2011, p. 210.

7 – Alban William Phillips, "The Relation between Unemployment and the Rate of Change of Money Wages in the UK, 1861-1957", *Economica*, 1958, p. 283-299.

8 – Richard G. Lipsey, "The Relation between Unemployment and the Rate of Change of Money Wage Rates in the United Kingdom, 1862-1957: A further analysis", *Economica*, 1960, p. 1-31.

9 – Paul A. Samuelson. & Robert M. Solow, "Analytical Aspects of Anti-Inflation Policy", *American Economic Review*, May, 1960, p. 177-194.

10 – Thomas Hall et William Hart, "The Samuelson-Solow Phillips curve and the great inflation", *History of Economics Review*, No. 55, Winter 2012, p. 62-72.

contribuèrent significativement au décollage de l'inflation dans les années 1960, les Keynésiens favorisant une politique de plein-emploi inflationniste.

Vers la fin de la décennie, Edmund Phelps en 1967 et Milton Friedman en 1968, mirent en garde contre le renversement de la courbe de Phillips une fois que les agents économiques (entreprises, salariés, ménages), avaient anticipé l'inflation. Ils montrèrent qu'à long terme, l'emploi n'était pas favorisé par l'inflation.

Robert Lucas[11] publia, en 1973, ses recherches sur les anticipations rationnelles (*rational expectations*). Il mit également en cause le bénéfice chômage/inflation suggéré par la courbe de Phillips. Selon lui, le secteur privé anticipait correctement la politique monétaire et ses effets, et il n'y avait par conséquent pas de différence entre les taux d'inflation anticipés et effectifs. Plus généralement, la « Critique de Lucas » mettait en cause la conduite de la politique économique à partir de modèles fondés sur les grands agrégats macro-économiques. Les paramètres de ces modèles n'étaient pas donnés une fois pour toutes, ils dépendaient des réactions des agents économiques aux décisions du gouvernement. Pour les décideurs politiques, il découlait de cette mise en cause de la courbe de Phillips qu'il était impossible de réduire le chômage par des instruments de politique économique. Les gouvernements ne pouvaient influencer la relation entre chômage et inflation que s'ils prenaient les agents par surprise, exercice que, par définition, ils ne pourraient pas réitérer souvent.

Lucas appartenait à l'École de la Nouvelle Économie Classique - *New Classical Economics* (*NCE*) qui, à partir de fondements micro-économiques, allait invalider les approches keynésiennes. Grâce à l'ajustement continuel des marchés, l'économie était toujours en état de plein-emploi, et le chômage ne résultait que d'une information imparfaite sur le marché du travail. Il s'ensuivait que la croissance économique, et donc le plein-emploi, ne pouvaient pas être durablement influencés par la politique monétaire, laquelle devait être vouée exclusivement à la stabilité des prix.

Le retentissement de ces travaux au sein de la communauté universitaire fut grand. À partir de 1974, pas moins de huit économistes reçurent le Prix Nobel pour des travaux mettant en cause les conclusions tirées de la courbe de Phillips : Thomas Sargent, Christopher Sims, Edmund Phelps, Edward Prescott, Robert A. Mundell, Robert E. Lucas. Friedrich von Hayek fut le premier de ce groupe à être « nobelisé », en 1974, suivi par Friedman deux ans plus tard.

Ces recherches inspirèrent l'aile réformiste du Parti travailliste néo-zélandais, incarnée par Roger Douglas, dont la politique de libéralisation devait d'ailleurs être qualifiée, à la fin des années 1980, de « rogernomics ». Douglas avait tiré les leçons de la défaite électorale cinglante de son parti en 1975, défaite qui avait conduit au pouvoir Muldoon et son Parti national.

11 – Robert Lucas, "Econometric Policy Evaluation, a Critique", *in* Karl Brunner & Allan H. Meltzer, eds, *The Phillips Curve and Labor Markets, Carnegie-Rochester Conference Series on Public Policy*, New York, American Elsevier, 1976, p. 19-46.

Les réformateurs néo-zélandais partageaient la conviction des monétaristes selon laquelle, dans le long terme, la politique monétaire avait un effet sur les prix mais pas sur l'économie réelle[12]. En revanche, ils rejetèrent les prescriptions des monétaristes qui voulaient des objectifs contraignants pour la croissance de la masse monétaire, et laissèrent à la banque centrale le choix de ses instruments : réserves des banques ou taux d'intérêt. En ce sens, ils optèrent pour l'approche discrétionnaire dans le débat « *rules versus discretion* »[13]. De fait, la *RBNZ* réformée a varié ses outils de politique monétaire. Pour atteindre son objectif d'inflation, elle utilisa d'abord les réserves que les banques détenaient auprès d'elle, et ce n'est qu'au bout de neuf ans qu'elle recourut aux taux d'intérêt. Les réformateurs s'inspirèrent également des travaux de l'économiste néerlandais Jan Tinbergen et de sa règle de cohérence[14], selon laquelle, pour qu'une politique économique soit efficace, il devait y avoir autant d'instruments que d'objectifs. En l'occurrence, la politique monétaire devait être vouée purement et simplement à la lutte contre l'inflation, et pas à d'autres objectifs.

Plus fondamentalement, les économistes néo-zélandais s'appuyèrent sur les recherches sur l'incohérence temporelle de Kydland-Prescott-Barro-Gordon pour concevoir le ciblage de l'inflation. Pour Arthur Grimes[15], qui fut l'un des économistes chargé de la réforme de la *RBNZ* et qui en devint ensuite le président, la littérature sur la cohérence temporelle et la crédibilité jouèrent un rôle clé dans la mise au point du ciblage de l'inflation. Pour lui, l'apport essentiel de ces recherches fut qu'un gouvernement devait se fixer un objectif contraignant en matière de politique monétaire, plutôt que de mener une politique discrétionnaire qui, inévitablement, nuirait à la croissance économique, ou attiserait l'inflation, ou ferait les deux.

La cohérence temporelle exige qu'une banque centrale ait les moyens de mettre en œuvre les politiques qu'elle s'est engagée à poursuivre. Par exemple, si une banque centrale s'engage à garantir une inflation faible, elle ne devra pas s'employer à atteindre d'autres objectifs au risque de nuire à la stabilité des prix[16].

Pour Grimes, le ciblage de l'inflation était essentiellement une tentative d'utiliser un objectif connu de tous pour discipliner le gouvernement et les

12 – Selon Mervyn King, futur gouverneur de la Banque d'Angleterre, le ciblage de l'inflation avait des racines anciennes, et tant l'économiste néo-classique américain Irving Fisher que John Maynard Keynes l'avaient préconisé. Il avait été mis en œuvre temporairement en Suède dans les années 1930. Voir Mervyn King, "The Inflation Target Five Years On," Lecture at the London School of Economics, 29 October 1997, <http://www.bankofengland.co.uk/archive/Documents/historicpubs/speeches/1997/speech09.pdf>

13 – Il s'agit de savoir s'il faut restreindre la liberté d'action des gouvernements par des lois ou décrets, ou les laisser libres d'agir à leur discrétion. Ce débat a été théorisé notamment par l'économiste américain Charles R. Whittlesey dès la fin des années 1930.

14 – Jan Tinbergen, qui reçut le Prix Nobel d'Économie en 1969, a contribué au développement de l'économétrie. La règle de cohérence de Tinbergen est souvent associée à celle de l'économiste canadien Robert Mundell, sur l'affectation (*assignment*) optimale des politiques monétaire et budgétaire, la première étant vouée aux équilibres extérieurs et la seconde aux équilibres intérieurs.

15 – Arthur Grimes présida la RBNZ de 2003 à 2013.

16 – "Time consistency requires that a central bank can commit to implementing the policies that it says it will implement. For instance, if a central bank commits to delivering low inflation, it will not use its powers to deliver other goals at the expense of low inflation", Arthur Grimes, *Four Lectures on Central Banking, op. cit.*, p. 1.

autorités monétaires, afin qu'ils observent sur le long terme une politique de stabilité des prix. Ce faisant, la banque centrale essayait aussi de discipliner les agents du secteur privé de façon à ce qu'ils agissent comme si la stabilité des prix allait perdurer.

D'autres influences favorisèrent l'émergence d'une banque centrale plus indépendante en Nouvelle-Zélande, tout spécialement la réforme du secteur public *(public sector reform)* que le gouvernement travailliste avait commencé à mettre en place dès son retour au pouvoir en 1984. Cette réforme radicale, qui se traduisit par deux lois, le *State Sector Act* de 1988 et *le Public Finance Act* de 1989, fit ultérieurement l'objet, tout comme le ciblage de l'inflation, de nombreuses études par des chercheurs étrangers cherchant à déterminer dans quelle mesure elle pouvait être adaptée dans d'autres pays.

La théorie des Choix publics inspira également la réforme du secteur public néo-zélandais. Cette école de pensée économique, très critique vis-à-vis de l'interventionnisme de l'État et des problèmes qu'il posait aux démocraties représentatives, s'était développée aux États-Unis dans les années 1970. Ses membres, qui mêlaient politique, sociologie et économie et en faisaient des modélisations mathématiques, éprouvaient une grande méfiance à l'égard des structures étatiques, dont ils contestaient la bienveillance et le souci de l'intérêt général. Ses représentants les plus éminents étaient James Buchanan et William Nordhaus. Ce dernier, professeur d'économie à l'université de Yale, modélisa les interactions entre le cycle économique et le cycle électoral. Dans son étude de 1975, *The Political Business Cycle* (*PBC*), il s'efforça de démontrer l'existence d'un cycle politique des affaires, dans lequel les partis au pouvoir stimulaient l'activité économique à l'approche des élections grâce à une augmentation des dépenses publiques ou une diminution du taux d'intérêt[17].

Selon Nordhaus, l'accroissement des dépenses publiques stimulait brièvement la production et l'emploi. À plus long terme, il attisait l'inflation, mais, entre-temps, l'équipe au pouvoir avait été – du moins elle l'espérait – réélue. Autrement dit, le parti au pouvoir jouait sur le décalage dans le temps entre les effets d'une stimulation des dépenses publiques, positifs à court terme et négatifs à long terme.

Des neuf pays étudiés par Nordhaus, la Nouvelle-Zélande était, avec l'Allemagne et les États-Unis, l'un des trois pays qui se conformaient le plus étroitement à l'hypothèse du cycle politico-économique

RECETTES POUR UNE BONNE GOUVERNANCE

La théorie de l'Agence influença aussi les réformateurs néo-zélandais. Elle trouvait ses fondements dans des articles de Michael Jensen et William

17 – William Nordhaus, "The Political Business Cycle", *Review of Economic Studies*, Vol. 42, April 1975, p. 169-190.

Meckling[18] publiés à partir de 1976. Elle soulignait les conflits d'intérêt au sein d'une entreprise entre principal (propriétaires) et agent (direction), et cherchait les moyens de les résoudre. Il fallait établir des lignes de responsabilité claires, définir le but à atteindre clairement et de façon mesurable, déléguer l'autorité à des directeurs généraux, créer des incitations récompensant ou punissant le responsable en fonction de ses résultats, et enfin contrôler et publier les résultats.

Pour l'économiste Emmanuel Carré[19], les différentes théories sur la gouvernance et les incitations institutionnelles émanaient de l'École de Harvard et de sa nouvelle approche de la microéconomie. Il la rapprochait de la théorie du *Design* institutionnel (*Institutional Design*) qui allait naître en ce début des années 1990, et des travaux de Persson et Tabellini[20] sur les institutions et leurs conséquences économiques.

Selon ces principes, la *RBNZ* devait bénéficier, non pas de son indépendance, mais d'une délégation de pouvoir, dans une logique contractuelle de type *principal-agent*, le « principal », en l'occurrence le gouvernement, pouvant infliger au banquier central des pénalités ou des récompenses en fonction de son respect de l'objectif fixé. Dans la mesure où la *RBNZ* rendait compte devant le parlement néo-zélandais de sa mission, Carré considérait que son nouveau statut s'inspirait aussi du keynésianisme. Cette responsabilisation était calquée sur le modèle de la *Federal Reserve*, laquelle rend compte de sa politique deux fois par an au Congrès, au travers de l'audition Humphrey-Hawkins[21].

Selon Carré, cette exigence s'accordait avec le système de Westminster[22], fondé sur la primauté du Parlement, comme le voulait la tradition politique néo-zélandaise. Cette responsabilisation démocratique était le contrepoids essentiel au surcroît d'indépendance de la *RBZN*. Elle expliquait en partie le succès du ciblage de l'inflation dans le monde, en le rendant acceptable par les milieux politiques qui conservaient le pouvoir ultime sur la politique monétaire. Carré concluait que le ciblage de l'inflation, initiative du gouvernement néo-zélandais, était une synthèse originale de diverses théories

18 – Michael Jensen & William Meckling étaient tous deux professeurs à l'université de Rochester (USA) lorsqu'ils ont écrit leur article considéré comme fondateur de la théorie de l'agence. Michael Jensen, William Meckling, "Theory of the Firm, Managerial Behavior, Agency Costs and Ownership Structure", *Journal of Financial Economics*, 1976, p. 305-360.

19 – Emmanuel Carré, *Une Histoire du Ciblage de l'Inflation*, Centre d'économie de l'Université Paris Nord, n° 2011-07.

20 – Torsten Persson, Guido Tabellini, "Designing institutions for monetary stability", *Carnegie-Rochester Conference Series on Public Policy*, 39, p. 58-84, cité par Emmanuel Carré, *Une Histoire du Ciblage de l'Inflation*, p. 10. Les économistes Persson et Tabellini, respectivement suédois et italien, ont aussi écrit ensemble en 2002 "The Economic Effects of Constitution", qui tente d'établir les relations entre constitution et économie en utilisant l'économétrie,
<http://www.people.fas.harvard.edu/~iversen/PDFfiles/Persson&Tabellini2003.pdf?origin=publication detail>

21 – Deux fois par an, en février et en juillet, le président de la *Federal Reserve* est auditionné par les commissions *ad hoc* du Congrès sur la situation économique et financière des États-Unis ainsi que sur la politique monétaire suivie et ses effets prévisibles.

22 – Le principe de la suprématie du Parlement, issu de la « Glorieuse Révolution » de 1688, a été théorisé par le constitutionnaliste Albert Venn Dicey à la fin du XIXe siècle.

micro et macro-économiques réalisée par la banque centrale et le *Treasury* néo-zélandais. Selon lui, sa création relevait autant d'un « art » pragmatique que de la science économique, à une époque où le keynésianisme comme le monétarisme étaient en crise. En d'autres termes, le ciblage de l'inflation n'avait pas, au départ, de fondement théorique propre.

Arthur Grimes, l'un des acteurs de cette nouvelle stratégie monétaire, confia d'ailleurs, en effet, dans une interview au magazine *Central Banking*, que le ciblage de l'inflation avait été mis en place de façon pragmatique : « *We dit it on the spot* » (On l'a fait sur l'inspiration du moment)[23]. Il fit état de consultations intensives avec des experts étrangers, notamment Charles Goodhart, qu'il avait eu comme professeur à la *London School of Economics*[24], et David Laidler[25]. Goodhart avait proposé une responsabilisation du gouverneur, au moyen d'une incitation salariale.

En tout état de cause, on pouvait constater que les banques centrales, institutions bureaucratiques s'il en est, avaient réussi à échapper à l'image négative qu'avaient donné de la fonction publique des écoles de pensée telles que celle des Choix publics[26]. Le « banquier central prudent » proposé par l'économiste américain Kenneth Rogoff en 1985[27] évoquait l'image d'un adversaire déterminé et désintéressé de l'inflation. Avec un brin d'ironie, l'historien John Singleton attribuait cet état de fait à « une mystique et un prestige soigneusement cultivés »[28].

LA NOUVELLE MISSION DE LA RESERVE BANK OF NEW ZEALAND

Le *Reserve Bank of New Zealand (RBNZ) Act* de 1989 ne comprenait pas moins de 192 articles, dont la première moitié était consacrée à la politique monétaire, au taux de change et aux mesures concernant les nominations et la responsabilité des dirigeants de la banque. La seconde partie était consacrée à la réglementation bancaire.

– Objectifs : la principale mission de la banque était de « formuler et mettre en application une politique monétaire vouée à l'objectif économique consistant

23 – Tom Bowker, « Stick to inflation targeting, Grimes tells central banks », *Central Banking*, 13 December 2013.

24 – Charles Goodhart, économiste à la LSE, est l'un des spécialistes britanniques en matière de politique monétaire. Grimes a obtenu un PHD en Économie à la LSE en 1987.

25 – *The Demand for Money*, publié en 1969, est l'œuvre la plus célèbre de David Laidler, économiste monétariste d'origine britannique, qui avait obtenu un PHD en Économie à l'Université de Chicago en 1964.

26 – C'est surtout Milton Friedman qui récusa l'utilité des banques centrales.

27 – Kenneth Rogoff, "The Optimal Degree of Commitment to an Intermediate Monetary Target", *Quarterly Journal of Economics*, Vol. 100, No 4, November 1985, p. 1169-1189. Kenneth Rogoff est diplômé du MIT et professeur d'Économie à Harvard.

28 – "Central bankers were more successful than civil servants at parrying the charge that they were self-interested bureaucrats, perhaps because of their carefully cultivated mystique and prestige", John Singleton, *Central Banking in the Twentieth Century*, Cambridge, Cambridge University Press, p. 206.

à atteindre et préserver la stabilité du niveau général des prix »[29]. La loi avait pour objet de définir avec précision les rôles respectifs du gouvernement et de la banque de réserve quant à la politique monétaire et la bataille contre l'inflation. Elle donnait à la banque centrale un statut plus indépendant, mais aussi plus responsable, tout en reconnaissant que c'était au gouvernement de conduire la politique économique.

– Clause de rappel : le ministre des Finances pouvait donner l'ordre à la banque centrale de poursuivre un objectif autre que la stabilité des prix, pour une période de 12 mois renouvelable.

– Mode de choix des cibles : avant la nomination ou la reconduction du gouverneur de la *RBNZ*, le ministre des Finances devait décider avec lui des cibles que le gouverneur devrait atteindre pendant son mandat, conformément à sa mission de stabilité des prix. Les cibles devaient être publiées et présentées à la Chambre des Représentants (le parlement néo-zélandais[30]). C'était au gouverneur de veiller à ce que la politique monétaire soit mise en œuvre de façon cohérente pour atteindre ces cibles.

– Choix des cibles : celles-ci consistaient en une fourchette d'augmentation annuelle de l'indice des prix à la consommation (*consumer price index*, ou CPI) allant de 0 % à 2 %. Cette fourchette, fixée en 1990, fut élargie de 0 à 3 % en 1996 et, en 2002, de 1 % à 3 % en moyenne à moyen terme en 2002[31]. Le retour au pouvoir en 1990 du Parti national, qui soutenait les réformes de son prédécesseur travailliste, ne modifia pas fondamentalement ces dispositions.

– Modification des cibles : la loi autorisait le ministre des Finances et le gouverneur à modifier ces cibles dans quatre éventualités :
  - un changement significatif dans les impôts indirects
  - un changement significatif dans les termes de l'échange
  - une crise, telle une catastrophe naturelle, ayant un effet significatif sur les prix
  - une divergence significative entre le CPI et l'indice corrigé des prix immobiliers (*housing adjusted price index*, ou *HAPI*).

En dehors de ces éventualités, le ministre des Finances et la banque de réserve s'engageaient à ne pas modifier les cibles en réaction à un quelconque choc inflationniste d'origine domestique. « En particulier, des augmentations de salaires ou de marges bénéficiaires incompatibles avec ces cibles ne seront pas admises[32].

29 – "The primary function of the Reserve Bank is to formulate and implement monetary policy directed to the economic objective of achieving and maintaining stability in the general level of price", Reserve Bank of New Zealand Act, 1989,
<http://www.legislation.govt.nz/act/public/1989/0157/latest/DLM199364.html>.

30 – Le parlement néo-zélandais ne comporte qu'une seule chambre, le conseil législatif du Sénat ayant été aboli en 1951.

31 – Il y a un consensus aujourd'hui sur le fait que l'inflation « optimale » doit être légèrement positive. Les partisans d'une politique rigoureuse fixent une cible de l'ordre de 1 %, tandis que les plus laxistes évoquent un taux de l'ordre de 4 % et ce, afin de se ménager une plus grande marge de baisse des taux lorsqu'une récession menace.

32 – "In particular, increases in wages or profit margins that are inconsistent with these targets will not be accommodated", *Reserve Bank of New Zealand Act*, 1989, *op. cit.*

– Taux de change : le ministre des Finances avait le pouvoir d'ordonner à la *RBNZ* d'intervenir sur les marchés pour influencer le taux de change. Le ministre avait également le pouvoir de fixer le taux ou une marge de fluctuation. Toutefois, si le gouverneur estimait que ces objectifs de change étaient incompatibles avec la politique de stabilité des prix, il avait le pouvoir de refuser de s'y conformer. Dans ce cas, le gouvernement devait soit renoncer à sa politique de change, soit donner à la banque de réserve un objectif autre que la stabilité des prix. Ainsi la capacité du gouvernement à mener une politique de change contraire à l'objectif d'inflation était sous contrainte.
– Responsabilité : tous les six mois, la banque de réserve devait adresser au ministre des Finances et ensuite publier une étude sur la politique menée le semestre précédent et ses perspectives pour les six mois à venir[33]. Elle devait spécifier par quels moyens les cibles seraient atteintes. Elle devait également donner ses prévisions à moyen terme (5 ans). Ce rapport était communiqué à la chambre des Représentants.
– Nomination et révocation : sur recommandation du conseil d'administration de la *RBNZ*, le ministre des Finances nommait un gouverneur pour un mandat de 5 ans, renouvelable une fois. La loi prévoyait la révocation du gouverneur dans plusieurs circonstances, et en particulier quand :
  - la banque ne remplissait pas correctement sa mission ;
  - le gouverneur avait échoué à atteindre les objectifs ;
  - le gouverneur s'était rendu coupable de grave négligence ou de conduite inappropriée *(misconduct)*.

On notera ici que le pouvoir explicite de sanctionner le gouverneur de la banque centrale, en le révoquant si les objectifs de stabilité des prix n'étaient pas atteints – ce qui était conforme aux recommandations de l'économiste américain Carl Walsh[34] – était, au moins à l'origine, une spécificité néo-zélandaise. Le Royaume-Uni, par exemple, se contentera d'exiger de son gouverneur qu'il explique publiquement et par écrit, auprès du chancelier de l'Échiquier, les mouvements erratiques du taux d'inflation.

Le conseil de la banque (*board*) était constitué du gouverneur, d'un ou deux sous-gouverneurs et de quatre à sept directeurs non exécutifs, tous dotés de mandats de cinq ans, qui pouvaient être révoqués dans des circonstances précises. Le conseil n'avait pas pour rôle de diriger la banque, mais de surveiller la façon dont elle, et tout particulièrement le gouverneur, s'acquittait de sa mission. Il avait le pouvoir de recommander au ministre des Finances de révoquer le gouverneur pour divers motifs. Il devait se réunir dix fois par an au minimum.

33 – On touche ici au concept de transparence de la banque centrale, défini comme la mesure dans laquelle la banque centrale rend publique l'information relative à son processus de prise de décision.
34 – Carl E. Walsh, "Optimal Contract for Central Bankers", *American Economic Review*, Vol. 85, No 1, March 1995, p. 150-167.

Après l'adoption des statuts de la *RBNZ*, le ministère des Finances et la banque centrale négocièrent un accord de politique de cibles (*Policy Targets Agreement*, ou *PTA*), qui entra en application en mars 1990. Selon les termes de cet accord, la stabilité des prix, définie par un taux d'augmentation annuel du CPI compris entre 0 % et 2 %, devait se matérialiser au plus tard en décembre 1992. En pratique, cette cible fut atteinte à la fin de 1991. Le *PTA* fut signé par Don Brash[35], gouverneur de la Banque, et David Caygill, successeur de Roger Douglas aux Finances, lequel avait été révoqué pour son impopularité auprès des électeurs de la gauche du Parti travailliste. Après cela, le gouverneur disposa d'une grande indépendance opérationnelle pour mener la politique monétaire. Dans un premier temps, la banque centrale resserra ou desserra les conditions monétaires en retirant ou en injectant des liquidités dans le système financier, dans une approche quantitative de la politique monétaire. En 1999, la banque changea de méthode, et utilisa l'instrument taux d'intérêt, en l'occurrence le taux de liquidité officiel (*official cash rate* ou *OCR*).

L'EXPÉRIENCE NÉO-ZÉLANDAISE VUE DE L'EXTÉRIEUR : UN RETENTISSEMENT PLANÉTAIRE

Dès 1990, le gouverneur de la Bank of Canada, John Crow, demanda à l'un de ses hauts fonctionnaires d'interroger la *RBZN* sur son nouveau régime. Un an plus tard, la banque centrale et le gouvernement canadiens annonçaient la fixation conjointe de cibles, dont l'objectif était de ramener l'inflation à 2 % à l'horizon de décembre 1995.

Le *Treasury* britannique commenta la réforme de la *RBNZ* en mars 1991, en annexe à une note confidentielle[36] envoyée au chancelier de l'Échiquier Norman Lamont. Il y approuvait la définition nette et claire des rôles respectifs de la *RBNZ* et du gouvernement. Il faisait remarquer qu'un rempart institutionnel contre des manipulations opportunistes de la politique monétaire était d'autant plus nécessaire en Nouvelle-Zélande que la durée de la législature n'y était que de trois ans. Selon le *Treasury*, la principale faiblesse du système résidait dans la faculté du gouvernement néo-zélandais de renégocier les cibles fixées pour l'indice des prix. Si cette faculté était exercée trop souvent, poursuivait-il, cela pourrait nuire à la crédibilité du nouveau système auprès des marchés et des partenaires sociaux (*wage-bargainers*) et ainsi amoindrir les avantages que ce système était supposé apporter. De son côté, George Blunden, ancien sous gouverneur de la Banque d'Angleterre, s'interrogeait sur l'indépendance réelle de la *RBNZ* à l'égard du gouvernement. Il déclara devant une commis-

35 – Don Brash a été gouverneur de la *RBNZ* de 1988 à 2002, date à laquelle il se lança dans la politique. Il devint chef du Parti national, de centre-droit, un an plus tard.
36 – HM Treasury, *An Independent Bank of England*, Annex A, 28 March 1991, <http://webarchive.nationalarchives.gov.uk/20091003072231/http:/www.hm-Treasury.gov.uk/foi_indem-pc_070305.htm>, consulté le 12 janvier 2013.

sion parlementaire en 1993 que *sub rosa*, secrètement, Wellington pesait sur la politique monétaire de la banque centrale[37]. Blunden en concluait que changer le statut de la Banque d'Angleterre pour, en apparence, lui accorder plus d'indépendance, était inutile.

La note du *Treasury* sur l'expérience néo-zélandaise avait été rédigée un an et demi avant la sortie forcée de la livre sterling hors du Mécanisme de change européen. Dans les semaines qui suivirent cette sortie, en octobre 1992, Norman Lamont introduisit un système, faisant l'objet d'un communiqué, qui reprenait plusieurs éléments du régime néo-zélandais, comme la fixation d'une cible d'inflation, la publication d'un rapport trimestriel sur l'inflation, et une rencontre mensuelle entre le chancelier de l'Échiquier et le gouverneur de la Banque d'Angleterre pour décider de la direction des taux d'intérêt.

Typiques du ciblage de l'inflation, ces projecteurs braqués sur les tenants et aboutissants de la politique monétaire, cette transparence avaient pour but d'empêcher des manipulations politiciennes opportunistes des taux d'intérêt. Il s'agissait aussi de renforcer la culture économique de la population et de l'informer sur les enjeux de la politique monétaire. Chacun était conscient que le succès de la *Bundesbank*, le modèle par excellence, reposait sur l'adhésion de la population allemande à sa politique anti-inflationniste. Comme l'aurait dit Jacques Delors, lorsqu'il présidait encore la Commission Européenne, « Tous les Allemands ne croient pas en Dieu, mais tous croient à la *Bundesbank* »[38].

Le ciblage de l'inflation se diffusa largement et continue à gagner des adhérents. En 2015, l'Inde et la Russie l'ont adopté, portant à 38 le nombre de pays pratiquant ce régime[39]. Né dans un pays industrialisé, il fut préconisé par le Fonds monétaire international aux pays émergents. Au sein de l'OCDE, les premiers pays à faire du ciblage de l'inflation leur régime monétaire furent, après la Nouvelle-Zélande, le Canada en 1991, le Royaume-Uni en 1992, l'Australie et la Suède en 1993, la Suisse en 2000, la Norvège et l'Islande en 2001.

UNE RÉPONSE AUX PROBLÈMES D'HIER ?

Pour les sceptiques, le ciblage de l'inflation avait encore à faire ses preuves : La Nouvelle-Zélande, le Canada et le Royaume-Uni l'avaient adopté après, et non avant, que leur gouvernement ait maîtrisé l'inflation. Autrement dit, le ciblage de l'inflation permettait de maintenir l'inflation à un niveau bas, mais il n'était pas prouvé qu'il puisse faire baisser l'inflation à partir d'un haut niveau. Son grand avantage était sa simplicité due à son objectif unique :

37 – House of Commons Treasury and Civil Service Committee, *The Role of the Bank of England*, First Report, 8 December 1993.

38 – Cité dans Michel Aglietta et Thomas Brand, *Un New Deal pour l'Europe*, Paris, Odile Jacob, 2013, p. 22.

39 – Voir Gill Hammond, "State of the Art of Inflation Targeting", *Bank of England, CCBS Handbook No 29*, February 2012, et Sarwat Jahan, "Inflation Targeting: Holding the Line", *IMF, Finance & Development*, p.73 <https://www.imf.org/external/pubs/ft/fandd/basics/target.htm>

l'inflation. L'économiste américain Frederic Mishkin[40] s'y référa dans son principe du KISS (*Keep it Simple Stupid*), selon lequel le ciblage de l'inflation rendait la communication de la banque centrale plus simple à comprendre, donc plus efficace, et renforçait la crédibilité de la politique monétaire. Pour réussir à minimiser les fluctuations de la production et de l'inflation, disait-il, les autorités monétaires ne devaient jamais quitter des yeux l'inflation et devaient répéter encore et toujours l'article de foi des banquiers centraux. Il fallait bannir tout « activisme » de la part des banques centrales, c'est-à-dire éviter qu'elles ne mènent leur politique monétaire en fonction des variations du taux de croissance de l'économie.

Quoi qu'il en soit, la crise financière de 2007-2008 a radicalement changé la donne. Les banquiers centraux aujourd'hui se préoccupent toujours de l'inflation, non pas parce qu'elle est trop élevée, mais parce qu'elle est trop faible. Ils abaissent les taux à court terme à des niveaux records, injectent en masse des liquidités au travers de l'assouplissement quantitatif, autrement dit l'achat d'obligations publiques ou privées, pour peser sur les taux d'intérêt longs (typiquement de 10 à 30 ans), ce qui favorise les emprunteurs, en tout premier lieu les États. Cependant, ils n'arrivent pas, de manière générale, à ce que l'inflation atteigne son taux cible, 2 % ou 3 % dans les pays de l'OCDE, autour de 4 % pour l'Inde et la Russie. L'achat de dette gouvernementale par la banque centrale, nécessairement en coordination avec le ministère des Finances concerné, aurait été considéré autrefois comme une hérésie. « Aux États-Unis et en Europe, il semble que l'indépendance des banques centrales soit aussi démodée que le vaudeville », commentait le *Financial Times* il y a quelques mois[41].

Le ciblage de l'inflation inauguré par la Nouvelle-Zélande fut une synthèse pragmatique de plusieurs Écoles de pensée. L'un de ses grands apports fut la transparence dans le mode opératoire des banques centrales, qui mit sur la place publique les débats de politique monétaire afin que le public s'en saisisse, et exposa au grand jour les éventuelles tentatives de manipulation des taux à des fins politiciennes. Il fallait « dire ce que l'on fait, et faire ce que l'on dit ». Ce régime était également fondé sur la responsabilité (*accountability*) de la banque centrale devant le parlement, ce qui était particulièrement séduisant pour les pays relevant du « système de Westminster », où la démocratie est fondée sur la primauté du parlement. La banque centrale publiait un rapport, largement diffusé, sur l'état de l'économie, les perspectives d'inflation et la politique qui en découlait. Surtout, son gouverneur rendait compte régulièrement de

40 – Frederic Mishkin, "The role of output stabilization in the conduct of monetary policy," *NBER Working Paper*, 9291, 2002, p. 14, <http://www.nber.org/papers/w9291>

41 – "In the US and Europe, it would seem, central bank independence is as dead as vaudeville", John Dizard, *Financial Times*, 5 April 2019.

sa politique devant le parlement. Sous ce régime, la banque centrale disposait d'une indépendance limitée aux moyens. En règle générale, elle n'avait pas d'indépendance concernant la fixation des objectifs, qui était du ressort du gouvernement et prenait la forme d'une fourchette pour un taux d'inflation annuel. On comprend mieux pourquoi les gouvernements acceptèrent aussi aisément l'idée de se défaire d'une partie de leurs pouvoirs.

Cette construction institutionnelle s'inscrivait dans un vaste mouvement de réforme du secteur public et s'appuyait sur les travaux universitaires, souvent américains, tels que la théorie de l'Agence, dite encore du *Principal-Agent*, ou la théorie des Choix publics. Au préalable, il avait fallu une vaste résurgence des idées libérales, dont un des corollaires était la priorité donnée à la lutte contre l'inflation. Il était significatif que le ciblage de l'inflation ait été introduit en Nouvelle-Zélande par un gouvernement travailliste, dans une sorte de renversement des rôles se produisant dans ces années charnières. Au pouvoir à la fin des années 1970 et au début des années 1980, le Parti National, de centre-droit, s'était montré interventionniste et inflationniste, et ce furent les Travaillistes qui voulurent créer des institutions capables de résister à de telles politiques et démontrer ainsi leur sens de l'État et des réalités économiques. Ces réformes institutionnelles furent conservées par leurs successeurs, illustrant le consensus transpartisan sur l'indépendance des banques centrales et ses dérivés, tels que le ciblage de l'inflation, à partir des années 1990.

LA ZONE FRANC DE 1945 À NOS JOURS : ÉCHAPPER AU TRIANGLE D'INCOMPATIBILITÉ DE MUNDELL[1]

Olivier Feiertag
Professeur d'Histoire économique et sociale à l'université de Paris 1 Panthéon Sorbonne

Toute l'histoire de la zone franc tourne autour de la question de la souveraineté monétaire : dans quelle mesure un État peut-il conduire, à l'échelle internationale, une politique monétaire autonome ? C'est une vraie question historique, au sens où elle n'appelle pas une réponse binaire, réductible à une *dummy variable* évaluée 0 ou 1. Elle est au cœur des évolutions de la zone franc. C'est, depuis l'origine, l'enjeu principal de son « africanisation ». Elle nourrit toujours le débat très actuel autour du franc CFA. « Les États africains, explique l'économiste togolais, Kako Nubukpo, ne sont pas en capacité de décider de

1 – Nous remercions pour leurs commentaires et suggestions les participants à la conférence « The international History of the Franc Zone: escaping Mundell's Trilemma », que nous avons prononcée à l'invitation de Kazuhiko Yago à l'université de Waseda le 10 novembre 2017, et les participants du colloque *Histoire économique et relations internationales en Tunisie*, organisé par Mohamed Sassi à Tunis les 8 et 9 mars 2019. Merci à Mohamed Sassi, directeur de la publication des actes du colloque de Tunis de nous avoir autorisé à réutiliser ici certains éléments de notre communication. Merci également à la Mission historique de la Banque de France, à l'UMR IDHES, à l'université de Kanazawa et à la région de Haute-Normandie pour avoir soutenu le programme de recherche HiZof (Histoire internationale de la zone franc).

leur politique monétaire, déléguant ainsi à l'ancienne puissance coloniale, un des éléments cruciaux de la souveraineté qu'est le pouvoir de battre monnaie »[2].

La question de la souveraineté monétaire n'est certes pas secondaire. Elle est au fondement, implicite ou explicite, de tous les modèles – pas très nombreux à vrai dire – qui tentent de formaliser les relations économiques internationales[3]. Parmi eux, le modèle du triangle d'incompatibilité de Robert Mundell est assurément le plus souvent sollicité. Il stipule, on le sait, qu'on ne peut jouir en même temps de la fixité des changes, de la liberté des mouvements de capitaux et de la souveraineté monétaire[4]. La notion de souveraineté monétaire est la base du triangle. C'est bien sûr la variable la plus problématique. Elle n'est jamais configurée *ne varietur*. On ne peut pas faire en matière de souveraineté comme si tout était joué d'avance et de toute éternité. Il faut donc s'efforcer d'historiciser le triangle d'incompatibilité de Mundell.

Le modèle est formulé au début des années 1960. Le système monétaire international de Bretton Woods est alors à son apogée. La construction européenne prend son essor. La vague des indépendances coloniales déferle sur l'Afrique. Mais la crise des années 1970 bouleverse le paysage de l'économie mondiale. La rupture du système de Bretton Woods provoque l'avènement d'un « non système » basé sur la généralisation des changes flottants. Le marché des changes est un marché de gré à gré. C'est aussi un marché de gros. Les

2 – Kako Nubukpo, *L'urgence africaine, Changeons le modèle de croissance*, Paris, Odile Jacob, 2019, p. 152.

3 – Voir Dominique Carreau, *Souveraineté et coopération monétaire internationale*, Paris, Éditions Cujas, 1970.

4 – Robert A. Mundell, « A Theory of Optimum Currency Areas », *The American Economic Review*, Vol. 51, No 4, Sep., 1961, p. 657-665.

ABSTRACT

Monetary sovereignty is central to the history of the franc zone. Mundell's incompatibility triangle is particularly relevant to the necessary conditions for the colonial francs' creation in 1945. Fixed exchange rates and free capital movements between the franc area and the rest of the world implies no monetary sovereignty for members states.

But Fixed exchange rates and free capital movements were very relative terms at the end of World War 2. Monetary sovereignty also differs according to changing conditions in international monetary cooperation. This lesson is also true for the history of euro zone.

RÉSUMÉ

La question de la souveraineté monétaire est au cœur de l'histoire de la zone franc. Le modèle du triangle d'incompatibilité de Mundell éclaire parfaitement les conditions de la création des francs coloniaux en 1945. La fixité des taux de change et la liberté des mouvements de capitaux entre la zone franc et le reste du monde implique bien l'absence de souveraineté monétaire pour les États membres.

Mais la fixité des taux et la liberté des mouvements de capitaux est très relative au sortir de la Seconde Guerre mondiale. L'exercice de la souveraineté monétaire varie également, notamment à travers les modalités changeantes de la coopération monétaire internationale. C'est une leçon qui vaut aussi pour l'histoire de la zone euro.

JEL Classification : **F15, F21, F31, F32, F33, F54**

Key words : **capital movements, décolonisation, exchange rates, franc zone, incompatibilité triangle, monetary sovereignty**

Mots clés : **décolonisation, mouvements de capitaux, souveraineté monétaire, taux de change, triangle d'incompatibilité, zone franc**

opérations qui s'y traitent sont d'un million de dollars au minimum et dans les années 2000, à la veille de l'éclatement de la crise des crédits *subprime*, le volume quotidien des transactions atteint en moyenne 1 000 milliards d'euros. Le marché des changes est depuis le début des années 1970 le Cheval de Troie de la mondialisation financière[5]. L'ampleur de ces mutations pose la question de la souveraineté monétaire sur des bases sans arrêt renouvelées[6]. Les composantes de la souveraineté monétaire évoluent donc avec le temps. Ces évolutions conditionnent le fonctionnement de toute zone monétaire : la zone franc depuis 1945 comme la zone euro aujourd'hui. Elles posent, en fait, la question des conditions de possibilité d'une politique monétaire *autonome* au sein d'une zone monétaire.

Nul mieux que Keynes dans les dernières pages de la *Théorie générale*, publiée en 1936, n'a explicité ce qu'il faut entendre par « politique monétaire autonome » : « C'est une politique de taux d'intérêt autonome, exempte de toutes préoccupations internationales, et d'investissements nationaux réalisés suivant un programme propre à rendre maximum le volume de l'emploi intérieur... [elle] est doublement salutaire, en ce sens qu'elle profite tout à la fois au pays qui l'applique et aux pays voisins »[7]. Parfaite profession de foi protectionniste qui atteste, s'il en est besoin, le tournant néo-mercantiliste de Keynes durant la grande dépression des années 1930[8]. Elle pose également un cadre théorique propre à évaluer le degré de souveraineté monétaire au sein d'une zone monétaire.

GENÈSE DE LA ZONE FRANC ET SOUVERAINETÉ MONÉTAIRE

C'est dans ce contexte théorique néo-mercantiliste que se constituent au cours des années 1930, *de facto*, les grandes zones monétaires coloniales : la zone sterling, la zone escudo et la zone franc. L'instauration en France du contrôle des changes par le décret du 9 septembre 1939 « prohibant ou règlementant en temps de guerre l'exportation des capitaux, les opérations de change et le commerce de l'or » aboutit à créer *ipso facto* une zone monétaire à l'intérieur de laquelle circulent librement et à parité un pour un les francs métropolitains et les différents francs coloniaux. Il faut y ajouter également la piastre indochinoise émise par la Banque de l'Indochine, simple multiple du franc

5 – Voir Alexis Drach et Olivier Feiertag, « Le sens de la mondialisation : surveillance bancaire et globalisation financière du XXe au XXIe siècle », *Monde(s)*, n° 13, mai 2018, p. 133-154.

6 – Jérôme Blanc, « Invariants et variantes de la souveraineté monétaire : réflexions sur un cadre conceptuel compréhensif », *Économies et Sociétés* - série Monnaie, 2002, ME (4), p. 193-213.

7 – John M. Keynes, *The General Theory of Employment, Interest and Money*, 1936, trad. française par Jean de Largentaye : *Théorie générale de l'emploi, de l'intérêt et de la monnaie*, Paris, Payot, 1966, p. 362-363. "It is the policy of an autonomus rate of interest, unimpeded by international preoccupations, and of a national investment programme directed to an optimum level of domestic employment which is twice blessed in the sense that it helps ourselves and our neighbours at the same time", *The General Theory of Employment, Interest and Money*, New York, Harcourt, Brace and Company, 1936, p. 349.

8 – Barry Eichengreen, "Keynes and Protection", *The Journal of Economic History*, Vol. 44, No 2, June 1984, p. 363-376.

français et dont la parité est légalement fixée depuis le décret du 13 mai 1930 à 10 francs pour une piastre.

Mais il faut attendre la fin de la Seconde Guerre mondiale pour voir s'affirmer *de jure* la notion de zone monétaire. Le décret du 25 décembre 1945 consacre la dévaluation du franc français. Il est adopté dans le cadre du débat sur la ratification des accords de Bretton Woods. Comme cela avait été le cas pour la dévaluation d'octobre 1936 avec l'accord tripartite, un traité de coopération monétaire international permet de faire avaler plus facilement la pilule de la dépréciation de la monnaie nationale. C'est pourtant clairement, en 1945 plus encore qu'en 1936, une dévaluation de combat. La valeur externe du franc français diminue de près de 50 %. Il faut désormais 119,10 francs pour un dollar. Le décrochage est considérable rapporté au taux de 49,60 fixé en 1943 à Alger par le Comité Français de Libération Nationale (CFLN). Le jour même de la dévaluation du franc français est promulgué le décret « [...] fixant la valeur de certaines monnaies des territoires d'outre-mer libellées en francs ». C'est l'acte de naissance du franc des Colonies Françaises d'Afrique (CFA). Le franc CFA circule dorénavant en Afrique occidentale française et en Afrique équatoriale française, au Cameroun et au Togo, sur la Côte française des Somalis, à Madagascar et à la Réunion. À ce « groupe » déjà très hétérogène est également rattaché Saint-Pierre et Miquelon. La parité avec le franc français est fixée à 1 franc CFA pour 1,70 francs. C'est la fin de la parité 1 pour 1 qui prévaut depuis la fondation des premières banques d'émission coloniales et de la Banque de l'Algérie en 1851[9].

Les territoires français du Pacifique (Nouvelle-Calédonie, Nouvelles Hébrides et Tahiti) voient au même moment la création du franc des Colonies Françaises du Pacifique (franc CFP). Sa parité est fixée à 1 franc CFP pour 2,40 francs métropolitains. Cette parité n'entraîne aucune dévaluation des francs Pacifique. Elle laisse inchangée leur valeur en dollars (soit 49,60 FCFP pour un dollar US). La mesure consacre donc la « dollarisation » des territoires français du Pacifique[10]. Un simple avis de l'Office des changes et de la Caisse centrale de la France d'outre-mer, publié le lendemain, le 26 décembre 1945, entérine la dévaluation du francs français par rapport à la livre sterling et au dollar[11], mais il mentionne aussi pour la première fois la notion de « zone franc ». Elle inclut donc le franc CFA, moins fortement dévalué que le franc français, mais aussi les francs algériens, tunisiens et marocains qui, eux, continuent à s'échanger au pair avec les francs métropolitains. Elle englobe également le franc CFP, mais aussi la piastre indochinoise. Sa parité est fortement revalorisée à 17 francs métropolitains pour une piastre. La parité de la roupie française, monnaie qui

9 – Oruno D. Lara, Inez Fischer-Blanchet et Nelly Schmidt, « Les banques coloniales de la Guadeloupe et de la Martinique pendant la deuxième moitié du XIXe siècle », in *La France et l'outre-mer. Un siècle de relations monétaires et financières*, Paris, CHEFF-IGPDE, 1998, p. 365-373.

10 – Institut d'émission d'Outre-Mer, *L'histoire du franc pacifique*, IEOM, Paris, 2014, p. 16-17.

11 – Avis de l'Office des changes et de la Caisse centrale de la France d'outre-mer, *Journal officiel* du 26 décembre 1945, *in* Jean Marcel Jeanneney et Marguerite Perrot, *Textes de droit économique et social français, 1789-1957*, Paris, Armand Colin, 1957, p. 512-513.

a cours dans les comptoirs français de l'Inde, est portée à 36 francs et celle de la livre libano-syrienne à 54,35 francs. À ce tableau déjà très composite s'ajoute encore à partir du 15 novembre 1947 le franc sarrois à parité 1 pour 1 avec le franc français. Les francs sarrois sont émis sous l'égide de la Banque de Réescompte de la Sarre qui est assimilée à une simple succursale de la Banque de France.

L'INVENTION DU FRANC CFA : « UNE OPÉRATION ASSEZ ÉTRANGE » (ANDRÉ POSTEL VINAY)

La création du franc CFA en 1945 apparaît rétrospectivement, de l'aveu même d'André Postel-Vinay, directeur de la Caisse centrale de la France d'Outre-Mer de 1944 à 1972, comme « une opération assez étrange »[12]. L'unité de la « zone franc », au sortir de la Seconde Guerre mondiale, est, en effet, très douteuse. La règle non écrite de la parité 1 pour 1 entre les francs émis dans les colonies et le franc métropolitain est abandonnée dans tous les territoires coloniaux où circulent désormais le franc CFA et le franc CFP. La fixité des taux de change est donc brutalement remise en question. L'instabilité des taux de change au sein de la zone franc domine durant toute la sortie de guerre. C'est la conséquence des dévaluations successives du franc français dans la période :

TABLEAU N° 1 **LES TAUX DE CHANGE MULTIPLES DE LA ZONE FRANC (1945-1949)**

	FF/dollar	FF/Franc CFA	FF/Franc CFP
26 décembre 1945	119,10	1,70	2,40
26 janvier 1948	214,40	1,70	4,32
17 octobre 1948	263,50*	2,00	5,31
27 avril 1949	272,00*	2,00	5,48
20 septembre 1949	350,00	2,00	5,50

* C'est le cours moyen du dollar sur le marché libre

Sources : Avis de l'Office des changes, *Journal Officiel*.

Il est difficile d'expliquer les raisons qui conduisent le gouvernement français à rompre, à l'issue de la guerre, l'unicité monétaire entre les différents territoires de l'Empire et la métropole. Paul Delouvrier et Roger Nathan, deux hauts fonctionnaires des Finances, artisans de premier plan des réformes monétaires de la Libération, analysent quelques années plus tard, dans leur cours de l'École libre des Sciences politiques, la création des francs CFA :

> L'originalité la plus considérable de l'opération monétaire de décembre 1945 a été la création des francs coloniaux. Pendant la guerre, l'évolution des prix dans les territoires

12 – Entretien avec André Postel-Vinay par Agathe Georges Picot du 26 avril 1989, Entretien n° 8, Cassette n° 8, Archives orale du CHEFF, cité par Hélène D'Almeida-Topor, « La création du franc CFA », in *La France et l'outre-mer. Un siècle de relations monétaires et financières*, Paris, CHEFF, 1998, p. 523-528.

d'outre-mer avait été extrêmement différente. [...] Fallait-il conserver l'unité du franc français dans les territoires de l'Union comme cela avait toujours été la tradition ?[13]

La réponse à cette question est politique[14]. Comme le déclare alors le ministre des Finances, René Pleven, devant l'Assemblée constituante, la métropole ne voulait pas « [...] imposer à ses filles lointaines les conséquences de sa propre pauvreté ». « Si on faisait cette opération, expliquent quelques années plus tard, Delouvrier et Nathan, on courait le risque de voir une évolution des prix très brutale pour un certain nombre de territoires entraîner une hausse du coût de la vie très rapide, avec tous les risques politiques que ce genre d'opération comportait à un moment où les agitations des nationalistes indigènes et des diverses catégories de Français dans les territoires d'Outre-mer étaient très fortes »[15].

Les débuts de la zone franc sont donc caractérisés par une grande hétérogénéité et par une nette instabilité des parités monétaires. La fixité des changes – premier côté du triangle – est loin d'être pleine et entière. En revanche, la liberté de circulation des capitaux au sein de la zone franc – deuxième côté du triangle – est réaffirmée : « Le changement de valeur de la monnaie libellée en francs de certains territoires coloniaux par rapport au franc n'implique, bien entendu, aucune modification dans le régime des transferts entre les territoires et le reste de la zone franc ». La convertibilité des monnaies de la zone franc, pour autant, n'est pas directe : il faut passer par le franc métropolitain pour changer entre elles les différentes monnaies coloniales. Et au sein même de la zone des francs CFA, on ne peut pas directement échanger les billets émis par la Banque de l'Afrique occidentale avec les billets émis par la Caisse centrale de la France d'Outre-mer en Afrique équatoriale française. Il faut là aussi passer par le *truchement* du franc français.

L'HISTOIRE DE LA ZONE FRANC ENTRE COLONIALISME ET DÉCOLONISATION

Dans ces conditions, la question de la « souveraineté monétaire » dans l'histoire de la zone franc apparaît à plus d'un titre épineuse. La création des francs coloniaux, dans le contexte de la sortie de guerre, est, en effet, inséparable du tournant global de la décolonisation. L'évolution que connaît dans la période la zone sterling l'illustre parfaitement, notamment avec le retrait négocié dès 1947 de l'Inde, du Pakistan et de l'Égypte[16]. Dans le cas de la zone franc, comme

13 – Paul Delouvrier et Roger Nathan, *Politique économique de la France*, Institut d'études politiques, 1957-1958, Fascicule II, Paris, Les Cours de droit, 1958, p. 176-177.

14 – Hélène D'Almeida-Topor, « La création du franc CFA »..., *op. cit.* ; Institut d'émission d'Outre-Mer, *L'histoire du franc pacifique...* », *op. cit.*, p. 16-17.

15 – Paul Delouvrier et Roger Nathan, *Politique économique de la France...*, *op. cit.*, p. 177.

16 – Catherine Schenk, *The Decline of Sterling. Managing the Retreat of an International Currency*, Cambridge, Cambridge University Press, 2010.

le soulignent Paul Delouvrier et Roger Nathan à propos du décret instituant les francs coloniaux, « Le débat fut très violent à l'Assemblée [...] Les tenants de la monnaie unique déclaraient qu'en créant plusieurs francs à l'intérieur de la « zone franc », on ouvrait la porte à des dissidences monétaires »[17]. Mais le gouvernement, notamment René Pleven, le ministre des Finances, maintient sa position, « [...] se référant à la Conférence de Brazzaville dans laquelle on avait promis plus d'indépendance aux territoires d'Outre-Mer ». René Pleven joue un rôle déterminant dans la création de la zone franc. Rallié au général de Gaulle dès juin 1940, commissaire aux Colonies au sein du Comité français de Libération nationale, homme d'affaires international proche de Jean Monnet, Pleven est l'un des artisans principaux du passage de l'Afrique équatoriale française à la France libre. Il préside la conférence de Brazzaville en janvier-février 1944. Son engagement en faveur du *self government* est avéré. Il prend notamment la forme d'un projet de fédération politique[18]. Mais il ne fait pas de doute que le flou à cette date l'emporte. La France libre, pas plus que la France de Vichy, n'a de grand dessein pour les territoires de l'Empire. La zone franc semble bel et bien s'être constituée « in a fit of absence of mind », pour reprendre l'expression fameuse que Seeley applique à l'expansion de l'Empire britannique[19]. C'est également le sens de l'analyse que Jacques Marseille donne de la place très marginale de la zone franc dans l'histoire des relations entre le capitalisme français et l'Empire colonial[20]. L'analyse des longues négociations qui aboutissent finalement à la création du comité monétaire de la zone franc le 24 mai 1951, subrepticement, au détour d'une loi relatives aux comptes spéciaux du Trésor, confirme bien l'impuissance de l'État français à construire à travers la monnaie une relation véritablement post-coloniale[21].

POUR UNE HISTOIRE POST-COLONIALE DE LA ZONE FRANC

L'histoire de la zone franc n'a pas encore pris le tournant post-colonial. À charge comme à décharge, la plupart des analyses des « métamorphoses de la zone franc », pour reprendre l'expression de Patrick Guillaumont et Sylviane Guillaumont-Jeanneney[22], restent dominées par ce que Georges Balandier

17 – Paul Delouvrier et Roger Nathan, *Politique économique de la France..., op. cit.*, p. 177.

18 – Christian Bougeard, *René Pleven : un Français libre en politique*, Rennes, PUR, 1994 ; Éric Jennings, *La France libre fut africaine*, Paris, Perrin, 2014, p. 258-260.

19 – John R. Seeley, *The Expansion of England*, Chicago, The University of Chicago Press, 1971.

20 – Jacques Marseille, *Empire colonial et capitalisme français. Histoire d'un divorce*, Paris, Albin Michel, 1984.

21 – François De Coustin, « La Banque de France et la création de la Zone franc (1944-1951), communication au colloque *Money in Africa*, European Association for Banking History, Banque du Portugal, le 10 octobre 2017, Lisbonne (à paraître).

22 – Patrick Guillaumont et Sylviane Guillaumont-Jeanneney, « Régime de change et mode de développement : les métamorphoses de la zone franc » in *La France et l'outre-mer. Un siècle de relations monétaires et financières..., op. cit.*, p. 661-669.

caractérise au début des années 1950 comme la « situation coloniale »[23]. On en trouve une très nette illustration dans l'ouvrage que consacrent en 1956 à la zone franc plusieurs hauts fonctionnaires du ministère de l'Économie et des Finances français, sous la houlette de François Bloch-Lainé, influent directeur du Trésor de 1947 à 1952 : « Pour tous nos associés d'outre-mer, en l'état actuel des choses, la qualité de membre de la zone franc est, matériellement parlant, une faveur qui leur est faite et non un sacrifice qui leur est imposé. Et politiquement, elle n'a rien de honteux »[24].

Tout le problème pour la France est de conserver sa « souveraineté monétaire » dans ses territoires coloniaux. La mission que François Bloch-Lainé effectue en Indochine en 1945-1946, aux côtés de l'Amiral D'Argenlieu, le confirme : au lendemain immédiat du coup de force des Japonais, en mars 1945, qui liquide les restes de l'administration française fidèle au régime de Vichy, et de la proclamation de l'indépendance du Viet Nam par Hô Chi Minh, il s'agit bien de reprendre le contrôle sur la circulation monétaire dans la péninsule et de rétablir le rapport légal entre le franc français et la piastre indochinoise[25]. Dans le même ordre d'idée, Pierre Moussa, directeur des Affaires économiques et du Plan au ministère de la France d'Outre-Mer de 1954 à 1959, souligne toujours en 1960, à la veille des indépendances, « l'unité biologique de la zone franc » fusionnant de manière « organique » l'économie de la métropole aux territoires d'outre-mer[26]. Cette perspective « françafricaine » de la zone franc continue à prévaloir bien après le tournant des indépendances. Le franc CFA apparaît ainsi, non sans raison, comme le dernier vestige du système colonial français[27].

Dans ces conditions, il n'est pas étonnant que toutes les approches critiques de la zone franc se fondent pour l'essentiel sur la dénonciation du néo-colonialisme de ses règles et de son fonctionnement. Dès le début des années 1960, au moment où se met en place le cadre nouveau de la Communauté franco-africaine et que sont conclus les accords monétaires de Matignon le 12 janvier 1962, Hamani Diori, le président du Niger, expose à son homologue sénégalais, Léopold Sédar Senghor, que « L'appartenance à la zone franc reste le lien principal (et quelquefois le seul) qui subsiste entre la France et ses anciennes colonies et protectorats »[28]. Réformer la zone franc consiste dès lors à réduire toujours davantage le contrôle exercé par l'ancienne métropole sur le fonctionnement des institutions de la zone franc.

23 – Georges Balandier, « La situation coloniale : approche théorique », *Cahiers internationaux de Sociologie*, 1951/N° XI, p. 44-79.

24 – François Bloch-Lainé *et alii*, *La zone franc*, Paris, PUF, 1956, p. 36.

25 – Hugues Tertrais, « Le rétablissement de la souveraineté financière de la France en Indochine », *in* Michel Margairaz, dir., *François Bloch-Lainé, fonctionnaire, financier, citoyen*, Paris, CHEFF-IGPDE, 2005, p. 35-50.

26 – Pierre Moussa, *L'économie de la zone franc*, Paris, PUF, 1960, p. 59.

27 – Jean-Pierre Bat, *Le syndrome Foccart. La politique française en Afrique de 1959 à nos jours*, Paris, Gallimard, 2012, p. 534. Voir aussi, pour la thèse, inverse à partir des mêmes prémices : Michèle Saint Marc, *Zone franc et décolonisation*, Paris, SEDES, 1964.

28 – Archives nationales de France (AN), AG/5(F)/2880, Lettre de Hamani Diori à Léopold Sedar Senghor du 22 janvier 1962.

Le compte d'opérations est le dispositif principal qui cristallise la relation néocoloniale. C'est le mécanisme de base du fonctionnement de la zone franc. C'est en quelque sorte le sas par lequel chaque économie nationale de la zone monétaire est reliée au reste du monde. C'est ainsi que le compte d'opération est au cœur de la persistance du lien colonial. Il perpétue d'une certaine manière le régime de l'Exclusif colonial. Il s'inscrit aussi dans la continuité de la politique du repli impérial des années 1930. Et il est très significatif de ce point de vue que les réformes successives de la zone franc portent précisément sur une augmentation de la proportion des réserves en devises que la banque centrale est autorisée à ne pas changer en francs français afin d'abonder le compte d'opérations : 25 % du total dans le cas de la Banque des États d'Afrique centrale à partir de la réforme de ses statuts en 1972. Et même 35 % dans le cas de la BCEAO suite à la réforme de ses statuts de 1973.

L'histoire des mutations institutionnelles de la zone franc depuis le tournant des années 1970 reste ainsi largement tributaire de la grille d'analyse « coloniale » ou du moins « néocoloniale » : la gouvernance de la zone franc est exercée par une technostructure constituée d'une élite très réduite de cadres africains présentés comme les premiers bénéficiaires du franc CFA et comme étroitement soumis aux intérêts économiques bien compris de l'ancienne métropole[29]. Dans cette optique, la dévaluation du franc CFA, survenue le 11 janvier 1994, illustre, pour la plupart des observateurs, « [...] effroyablement l'absence de débat si caractéristique des relations-franco africaines »[30]. À cette passivité africaine, une seule explication : « La France est toujours perçue comme la seconde patrie, voire la matrie, par les dirigeants des pays africains de la zone franc où ils vont continuellement déposer leur cœur et leurs trésors »[31]. Étonnant effet de persistance rétinienne ! Près d'un demi-siècle après la vague des indépendances, la situation coloniale continue de prévaloir comme grille de lecture principale de la zone franc et de ses évolutions. Elle sous-tend ainsi largement le débat actuel sur le devenir de la zone franc : tout le problème consiste à sortir les pays africains de la zone franc de « la servitude monétaire »[32]. L'argument n'est pas nouveau. Dès le début des années 1960, on reproche aux autorités monétaires de la zone franc de conduire une politique de stabilité monétaire et de sacrifier la croissance économique et l'emploi au totem de la lutte contre l'inflation. On fait grief aujourd'hui aux banques centrales de la zone franc, désormais arrimée à l'euro, de favoriser les intérêts d'une économie financière à la base sociale très étroite au détriment du développement de l'économie réelle, notamment du secteur industriel. Ce n'est d'ailleurs pas la moindre ironie de l'histoire que de constater que ce débat

29 – Tchétché N'Guessan, *Gouvernance et politique monétaire. À qui profitent les banques centrales de la zone franc ?*, Paris, L'Harmattan, 1996 ; David Stasavage, *The Political Economy of a Common Currency: the CFA franc zone since 1945*, Aldershot, Ashgate, 2003.

30 – « Dévaluation », *Politique africaine*, 54, juin 1994, p. 7-8.

31 – *Idem*.

32 – Kako Nubukpo, Martial Ze Belinga, Bruno Tinel et Dembele Demba Moussa, *Sortir l'Afrique de la servitude monétaire. À qui profite le franc CFA ?*, Paris, La Dispute, 2016.

sur le franc CFA semble aujourd'hui aboutir à une décolonisation monétaire véritable, du moins à l'échelle de l'Afrique de l'Ouest, impliquant notamment la suppression de tout représentant de la France dans les institutions monétaires africaines et à la fermeture du compte d'opérations, au moment même où au sein de la zone euro est remis en question le paradigme dominant de la banque centrale indépendante et gardienne de la stabilité monétaire.

L'évolution rapide vers la disparition de la zone franc, amorcée déjà sous la présidence de François Hollande et confirmée de plus en plus nettement depuis l'élection d'Emmanuel Macron, est contemporaine de la crise financière enclenchée à l'été 2007 par la crise des crédits *subprime* qui a remis en question la théorie standard du *central banking* triomphante dans les années 1980 et 1990, et conduit les principaux instituts d'émission du monde à mettre en œuvre des politiques de *quantitative easing* dites aussitôt « non-conventionnelles » : financement direct de la dette publique des États et politique du crédit très accommodante pour relancer l'activité économique. Surprenante volte-face que la plongée de l'économie mondiale dans la crise globale entraînée à compter du début de 2020 par la pandémie du Corona virus semble confirmer et même renforcer. Que la zone franc soit amenée dans ce contexte à se réformer en profondeur en coupant radicalement le lien colonial qui la relie encore moins finalement à la France qu'à la Banque centrale européenne, ne laisse pas d'interroger sur le sens de cette rupture : conversion des autorités monétaires africaines à la *nouvelle vue* sur le *Central Banking* et aux sirènes du *quantitative easing* ou, au contraire, strict maintien de l'orthodoxie monétaire qui aurait en quelque sorte changé de camp ? On ne peut s'empêcher de penser à *Lettres béninoises*[33], l'apologue que l'historien de l'économie, Nicolas Baverez publie en 2014 et qui imagine la visite officielle dans la France de 2040 du directeur général du Fonds monétaire international, un Béninois, appelé au chevet d'un pays au bord de la faillite, pris dans la spirale de l'endettement et soumis à un sévère plan d'ajustement structurel. Une fiction ? Oui, bien sûr. Mais *Lettres béninoises*, un peu à la manière, toutes choses égales par ailleurs, des *Lettres persanes* de Montesquieu, incite à renverser le point de vue comme on obtient une disposition très différente des continents sur un planisphère non plus centré sur l'Europe, comme c'est encore la règle depuis les projections de Mercator au XVIe siècle, mais par exemple sur la Chine, véritable Empire du milieu ! C'est précisément ce type de changement de perspective qui est à la base du tournant postcolonial dans les sciences humaines. Tout l'enjeu est donc de tenter d'appliquer cette nouvelle focale à l'histoire de la zone franc. La grille de lecture coloniale (ou néocoloniale) conserve naturellement toute sa pertinence, et il ne s'agit pas de chercher à prouver le contraire. Mais le rapport colonial, un peu à la façon dont un train peut en cacher un autre, peut masquer les dynamiques internationales à l'œuvre à l'échelle globale et singulièrement au sein du système monétaire international.

33 – Nicolas Baverez, *Lettres béninoises*, Paris, Albin Michel, 2014.

ÉCHAPPER AU TRIANGLE D'INCOMPATIBILITÉ

La cause semble entendue. Elle mérite pourtant d'être examinée plus avant. Comme le formule très bien le juriste internationaliste, Claude Albert Colliard en 1970, il faut distinguer entre la souveraineté politique et la souveraineté monétaire trop souvent confondues. Plus nettement encore Dominique Carreau suggère que la souveraineté monétaire, depuis au moins la fin du système de Bretton-Woods, est collective et qu'elle passe donc nécessairement par des formes de coopération monétaire internationale[34]. C'est également l'idée qui sous-tend la contribution que l'économiste Christian de Boissieu donne au début des années 1980 à l'ouvrage collectif de Charles-Albert Michalet consacré « au défi du développement indépendant » et aux « conditions de la souveraineté économique dans le Tiers Monde »[35].

Dans cette perspective, une histoire véritablement internationale de la zone franc s'impose : quel jeux d'acteurs sous-tendent l'évolution des rapports entre les États africains impliqués dans les évolutions complexes de la zone franc à l'échelle des grandes régions du continent, mais aussi d'une vision panafricaine qui englobe tout autant les grands États, comme le Nigéria, l'Afrique du Sud ou l'Égypte, qui n'ont jamais appartenu à la zone franc ? La création de l'ECO en 2000, future monnaie unique de l'Afrique de l'ouest intègre ainsi le Ghana, le Liberia, la Sierra Leone, la Guinée Conakry et la Gambie. Mais l'approche internationale joue également au sein de chacun des sous-ensemble géographique de la zone monétaire : comment a pu se développer une diplomatie monétaire entre les 14 États membres de la zone franc ? Quelle politique de solidarité peut se déployer, au travers du mécanisme du compte d'opérations, entre des États dont le niveau de développement économique et social est très différent ? Quel rôle joue la Conférence des Chefs d'État, doublée du conseil des Ministres de l'Union institués par le traité de 1973 créant l'Union monétaire ouest Africaine ? Quels États, à l'instar de la Côte d'Ivoire qu'on caractérise parfois comme l'Allemagne de l'Afrique de l'Ouest, exercent un rôle d'hégémon à l'échelle du continent ? Et comment l'ancienne métropole influence-t-elle les dynamiques proprement postcoloniale, c'est-à-dire globales qui régissent de façon croissante les évolutions monétaires de l'Afrique ? Autant de questions qui posent à nouveaux frais le problème de la souveraineté monétaire dans la cadre lui-même changeant de la zone franc et dont plusieurs travaux de recherche récents ont commencé à explorer la réalité proprement historique[36].

34 – Dominique Carreau, *Souveraineté et coopération monétaire internationale…, op. cit.*, [Préface de Claude-Albert Colliard].

35 – Christian de Boissieu, « L'intégration monétaire : l'exemple de la zone franc », *in* Charles Albert Michalet, *Le défi du développement indépendant, les conditions de la souveraineté économique dans le Tiers Monde*, Paris, Les Éditions Rochevignes, 1983, p. 109-138.

36 – Parmi plusieurs travaux récents, on peut citer ici Georges El Daccache, *La Banque de Syrie et du Liban. Levier de développement ou instrument de l'impérialisme français (1919-1945) ?* Thèse d'Histoire de Sorbonne université, sous la direction de Dominique Barjot, soutenue le 3 décembre 2019 à Paris ; Chislain, Moupebele Makadjoka, *Le Gabon, la France et la Banque des États de l'Afrique centrale, 1959-1992 : entre logique « géomonétaire »* et financement de l'économie, thèse d'Histoire de l'EHESS sous la direction de Laure Quennouëlle-Corre,

L'histoire de la zone franc montre qu'il est possible d'échapper au triangle d'incompatibilité de Mundell. Mais l'analyse de la souveraineté monétaire est complexe. L'optique coloniale ou néocoloniale répond à la question avant même de l'avoir posée. Seule une approche vraiment globale peut permettre de rendre compte du jeu d'acteurs internationaux qui détermine au XXe siècle les modalités variables et nécessairement collectives de la souveraineté monétaire. De cette manière seulement on peut espérer faire apparaître la combinaison des rapports de force entre des États dont les économies sont très différentes et dont les trajectoires historiques, y compris précoloniales, sont très diverses. Une histoire proprement globale de la zone franc s'inscrit dans le projet plus général d'une histoire économique postcoloniale. Le chantier est considérable. Il implique un changement de point de vue en rupture avec plusieurs siècles d'européocentrisme. Cette translation pose néanmoins plusieurs problèmes dont la question compliquée des sources extra-européennes. On ne peut pas entreprendre une histoire postcoloniale de la zone franc à partir des seules archives conservées en France.

L'actualité d'une histoire globale du franc CFA ne fait pas de doute. Pour l'Afrique au moment où semble s'accélérer le processus de disparition de la zone franc, mettant les États africains devant un avenir à construire par-delà le temps de la colonisation. Mais pour l'Europe aussi, et singulièrement pour la zone euro, il est loisible de penser que le moment est peut-être venu de tirer, à son tour, les leçons du précédent historique de la zone franc.

Paris, 2020 ; Karl Adhépeau, *La Banque centrale de Guinée et la zone franc de 1959 à 1994*, thèse d'Histoire de l'université de Paris 1 Panthéon Sorbonne, sous la direction de Olivier Feiertag, Paris, soutenance prévue en 2021.

AUTOUR DE LA GENÈSE DE LA BANQUE RUSSO-CHINOISE :

les ambitions contradictoires d'une alliance franco-russe

Thierry Claeys et **Wen Wen**

Docteur en histoire, ingénieur d'études en analyse de sources historiques et culturelles de la Faculté de Lettres de Sorbonne Université, membre de l'IRCOM - Centre Roland Mousnier

Doctorante de Sorbonne Université

Jusqu'au début des années 1990, la fondation et les débuts de la *Banque Russo-Chinoise* (*Russko-Kitaiskii Bank*), dite la *« Sinorusse »*[1] - un établissement né des négociations diplomatiques et financières franco-russes à l'issue de la guerre sino-japonaise de 1894 à 1895 - avaient été abordées dans la thèse de René Girault et firent l'objet de deux articles, le premier publié par Olga Crisp en 1974, le deuxième par Rosemary Quested, en 1977, des études essentiellement fondées sur des archives publiques françaises[2]. Depuis, l'histoire de cet établissement fut abordée par V. S. Miasnikov - l'un des principaux spécialistes

1 – Elle fut *également* appelée « the *Sino-Russian Righteousness Victory Bank* » et *Hua-E Daosheng Yinhang*. Voir à ce sujet : Zhaojin Ji, *A History of Modern Shanghai Banking : The Rise and Decline of China's Finance Capitalism*, Armonk, New York, England, M.E. Sharpe, 2003, 325 p., p. 70.

2 – René Girault, *Emprunts russes et investissements français en Russie 1887-1914*, Paris, Armand Colin, 1973, réédité par le CHEFF, 1999, 618 p., p. 305 *et passim*, « L'expérience de la Banque Russo-Chinoise », et p. 497 *et passim*, « La création de la Banque Russo-Asiatique » ; Olga Crisp, "The Russo-Chinese Bank : An Episode of Franco-Russian Relations", dans *Slavonic and East European Review*, Volume LII, No 127 (April 1974), p. 197-212 ; Rosemary Quested, *The Russo-Chinese Bank. A Multinational Financial Base of Tsarism in China*, Birmingham, Birmingham Slavonic Monographs, No 2, 1977, 69 p.

des relations entre la Russie tsariste et la dynastie des Qing –, S. G. Belyayev, Igor V. Lukoyanov, Leonid V. Kuras et Lulia V. Kalmina, ainsi que par Kazuhiko Yago[3]. Notre présente contribution traitera de la genèse de cette banque au

3 – S. G. Belyayev, "Russkoïe predprinimatel stvo v Kitaïe v kontse XIX - nachale XX veka", Vestnik Sankt-Petersburgkogo universitate [« L'entreprenariat russe en Chine à la fin du XIXe - début du XIXe siècle » *Bulletin de l'Université de Saint-Pétersbourg*], 2006, Ser. 8, Vyp. (problème) 1, p. 170-180 ; Leonid Vladimirovich Kuras et Lilia Vladimirovna Kalmina, "Sistema Vitte: Russko-Kitaiskii, bank i kiakhstinskoïe kupechestvo (konets XIX - nachalo KHKH vv.)", *Vlas* [Système Witte : marchands de la Banque russo-chinoise et de Kyakhta (fin XIXe - début du XIXe siècles », *La Puissance*], n° 8, p. 160-165 ; Igor Vladimirovich Lukoyanov, "Russko-Kitaiskii Bank (1895-1904 gg.)", *Nestor, Yezhekvartal nyy zhurnal istorii kultury Rossi I Vostochnoy Yevropy* [« Banque Russo-chinoise (1895-1904 », *Nestor, Revue trimestrielle sur l'histoire et la culture de la Russie et de l'Europe de l'Est*], n° 2, p. 177-202 ; Igor Vladimirovich Lukoyanov, *"Ne otstat ot derzhav...". Rossiya na Dalnem Vostoke v kontse XIX - nachale XX vv.*, SPb Nestor-Istoriya [« Maintenir les pouvoirs... ». La Russie en Extrême-Orient à la fin du *XIXe* - début du *XXe* siècle, SPb Nestor - Histoire], 668 p. ; V. S. Miasnikov, "Russko-Kitaiskii Bank i yego rol v istorii mezhdunarodnykh otnosheniy v Vostochnoy Azii", *Vostokovedeniye i mirovaya kultura. Pyamyatniki istoricheskoy mysli*, Institut Dalnego Vostoka RAN, -M., -1998 [« La Banque russo-chinoise et son rôle dans l'histoire des relations internationales en Asie de l'Est », Études orientales et culture mondiale : Monuments de la pensée historique, Moscou, Institut d'Extrême-Orient de l'Académie russe des sciences, 1998], p. 234-271 ; Kazuhiko Yago, "The Russo-Chinese Bank (1896-1910): An International Bank in Russia and Asia", dans Shizuya Nishimura, Toshio Suzuki, Ranald C. Michie (eds), *The origins of International Banking in Asia: The Nineteenth and Twentieth Centuries*, Oxford University Press, 2012, 251 p., p. 145-165 ; "Correspondent Banking Networks and Branch Activities un 'Imperial Banking': the Russo-Chinese Bank in Shanghai in 1902", dans Hubert Bonin, Nuno Valério, Kazuhiko Yago (eds), *Asian Imperial Banking*, Londres - New York, Routledge, 2015, 240 p., p. 35-51.

ABSTRACT

The birth of the Russo-Chinese Bank – wanted by Sergeï Witte – followed the issue of the Chinese loan of 400 million francs by a Franco-Russian syndicate, to reimburse a third of the war indemnity due by China to Japan, after the Sino-Japanese War of 1894-1895. The bank, whose objective was the exploitation of mines and railways and which intended to become a leading credit institution in China, was formed by a Franco-Russian banking syndicate, essentially with French capital. It took over the assets of the *Comptoir National d'Escompte de Paris*, the big loser in this operation. The Russo-Chinese Bank, which was originally meant to serve the common interests of France and Russia, allied since December 1893-January 1894, from the perspective of the French government, was in reality an instrument of Russian geopolitics *strictly speaking*, largely financed by French banking establishments.

RÉSUMÉ

La naissance de la *Banque Russo-Chinoise* – voulue par Sergeï Witte – suivit l'émission de l'emprunt chinois de 400 millions de francs par un syndicat franco-russe, devant servir à rembourser le tiers de l'indemnité de guerre due par la Chine au Japon, après la guerre sino-japonaise de 1894-1895. Cette banque, qui avait pour objectif l'exploitation de mines et de chemins de fer et de devenir l'un des principaux établissements de crédit en Chine, était constituée par un syndicat bancaire franco-russe, essentiellement à partir de capitaux français. Elle reprit les actifs du *Comptoir National d'Escompte de Paris*, grand perdant dans cette opération. La *Banque Russo-Chinoise*, qui devait, à l'origine, servir les intérêts communs de la France et de la Russie, alliées depuis décembre 1893 – janvier 1894, dans l'optique du gouvernement français, fut en réalité un instrument de la géopolitique russe, stricto sensu, largement financé par les établissements bancaires français.

JEL Classification: **B26, D53, F21, F33, F54, G15, G21, H63, N23, N46**
Key words: **Franco-Russian Alliance, Russo-Chinese Bank, East Chinese Railway, Comptoir National d'Escompte de Paris, Chinese loan, Sino-Japanese War, investments, geostrategy, Manchuria**
Mots clés: **Alliance franco-russe, Banque Russo-Chinoise, Chemin de fer de l'Est-chinois, Comptoir National d'Escompte de Paris, emprunt chinois, guerre sino-japonaise, investissements, géostratégie, Mandchourie**

moyen de sources jusqu'à présent inexploitées, conservées dans des centres d'archives bancaires français[4].

LA GUERRE SINO-JAPONAISE, LE TRAITÉ DE SHIMONOSEKI ET SA RÉVISION IMPOSÉE PAR LES PUISSANCES OCCIDENTALES

La guerre - dite de « Jiawu » - opposant à partir du 1er août 1894 la Chine au Japon, devenu une puissance militaire moderne en moins de deux décennies qui suivit la révolution de Meiji, tourna au désastre pour la première[5]. Après s'être rendus maîtres de toute la Corée, les Japonais conquirent le Port-Arthur, un port stratégique, construit en partie par des entreprises françaises[6], situé à l'extrême sud de la péninsule de Liaodong, menaçant directement la Mandchourie, Tien-Tsin (Tianjin) et Pékin[7].

Les conditions d'armistice imposées par le Japon, le 22 mars 1895, furent exorbitantes[8], tout comme celles de la paix, présentées au Zongli Yamen, le « Bureau des affaires de toutes les nations », le 1er avril suivant. Auguste Gérard, ministre plénipotentiaire français à Pékin[9], en donna la liste. Elle imposa la reconnaissance par la Chine de la pleine indépendance de la Corée, la cession au Japon de Formose, des Pescadores et des territoires de la Mandchourie méridionale sis entre le Yalu et le Liao, jusqu'au sud de la presqu'île de Liaodong, Port-Arthur et la baie de Talienwan (Dalian) inclus, le paiement au Japon d'une indemnité de guerre de 300 millions de taëls à 8 francs le taël, s'ajoutant au 100 millions de frais d'occupation, la conclusion entre les deux pays d'un nouveau traité de commerce sur la base des traités conclus entre la Chine et

4 – Nous tenons à exprimer ici tout particulièrement notre gratitude envers Monsieur Roger Nougaret, directeur des Archives historiques de la BNP-Paribas, ainsi que les membres de son équipe, qui nous ont permis de consulter les fonds du *Comptoir National d'Escompte de Paris* et de la *Banque de Paris et des Pays-Bas*.

5 – Auguste Gérard, *Ma mission en Chine (1893-1897)*, Paris, Plon, 1918, 347 p., Livre premier, chap. 1, p. 1 ; Zhang Long, *La Chine à l'aube du xxe siècle : les relations diplomatiques de la Chine avec les puissances depuis la guerre sino-japonaise jusqu'à la guerre russo-japonaise*, Paris, Nouvelles Éditions latines, 1962, 502 p., p. 22 et suiv.

6 – Voir notamment à ce sujet : Thierry Claeys, Wen Wen, « Origines et motivations au sujet de la construction d'un réseau télégraphique reliant l'Indochine à la Chine à partir de 1889 », *Revue Française d'Histoire Économique - The French Economic History Review*, n° 9-10, 2018 I-II, p. 252-266.

7 – Auguste Gérard, *op. cit.*, p. 1-20 ; Zhang Long, *op. cit.*, p. 54 ; Jung Chang, *L'impératrice Cixi. La concubine qui fit entrer la Chine dans la modernité*, Paris, Éditions Tallandier, coll. Texto, 2017, p. 272-293, chap. 16 : « En guerre contre le Japon (1894) » (1ère édition, J.C. Lattès, 2015, 478 p.) ; François Cosseron de Villenoisy, *La guerre sino-japonaise et ses conséquences pour l'Europe*, Paris - Limoges, Imprimerie militaire Henri Charles-Lavauzelle, 1895, 48 p.

8 – Auguste Gérard, *op. cit.*, p. 33 ; Zhang Long, *op. cit.*, p. 73.

9 – Né à Paris, en 1852, décédé célibataire, grand-officier de la Légion d'honneur, en 1922, il fut successivement nommé officier puis commandeur de la Légion d'honneur, les 31 juillet 1894 et 17 juillet 1897, alors qu'il était en fonctions à Pékin. Envoyé notamment pour régler la question du tracé de la frontière sino-tonkinoise, il parvint à ses fins au lendemain de la fin du conflit sino-japonais (Auguste Gérard, *op. cit.*, p. 56 *et passim*). Il acheva sa carrière comme ambassadeur de France à Tokyo et fut l'auteur de *Ma mission en Chine (1893-1897)*. Voir : A.N. LH/1117/47 (dossier de Légion d'honneur), et également : Lucien de Reinach, *Recueil des traités conclus par la France en Extrême-Orient (1684-1902)*, Paris, Ernest Leroux éditeur, in-8°, 442 p., p. 328-337 : « Conventions complémentaires de la convention la frontière et de celle additionnelle de commerce du 26 juin 1887, entre la France et la Chine, signées à Pékin le 20 juin 1895 ».

les puissances occidentales, et l'occupation, jusqu'au paiement complet de l'indemnité, de Moukden et de Weihai[10].

Gérard et son homologue russe, le comte Cassini[11], œuvrant de concert dans le cadre de l'alliance réunissant leurs pays depuis janvier 1894, apportèrent un soutien intéressé au Zongli Yamen. Finalement, répondant à une contreproposition chinoise et aux pressions occidentales, le Japon infléchit ses prétentions, renonçant dans un premier temps à l'occupation de Moukden et réduisant l'indemnité de guerre de 300 à 200 millions de taëls[12]. Après d'ultimes tractations, le traité de Shimonoseki fut signé le 17 avril 1895, ratifié par l'empereur du Japon dès le 20 avril précédent[13]. Sous la pression de l'Intervention tripartite, franco-russo-allemande, Tokyo, humilié, renonça entre les 1er et 5 mai à la possession permanente de territoires qui lui avaient été cédés en Mandchourie méridionale ainsi qu'à la presqu'île de Liaodong, Dalian et Port-Arthur[14].

Auguste Gérard consacra un long passage sur le règlement financier dans ses mémoires, tout en omettant d'évoquer la rivalité anglo-russe - connue sous l'expression de « Grand Jeu »[15] - et l'ambition de la Russie d'étendre sa zone d'influence sur la Mandchourie, non loin de Vladivostok, fondée en 1859, située dans une province acquise de la Chine l'année précédente, d'où part le Transsibérien. Dans ce contexte, le comte Sergeï Y. Witte, ministre des Finances de la Russie, qui, dès le 11 avril 1895, avait présenté au tsar Nicolas II un plan de pénétration pacifique de la Mandchourie, compta bien écarter son rival britannique dans l'affaire du financement du premier emprunt chinois. D'après Auguste Gérard :

> Il était, à tous égards, naturel que les mêmes puissances [la France et la Russie], qui étaient intervenues pour lui adoucir les conditions de la paix, intervinssent également pour lui faciliter, dans toute la mesure désirable, l'exonération de sa dette. Déjà, au mois de février précédent, deux ministres du Tsong-li ya-men étaient venus me sonder sur la disposition qu'aurait le grand établissement français de Shanghai, le *Comptoir National d'Escompte*, à prêter à la Chine une somme d'environ 125 millions de francs,

10 – Auguste Gérard, *op. cit.*, p. 34-35 ; Zhang Long, *op. cit.*, p. 75 et suiv.

11 – Voir au sujet d'Artur Paul comte Cassini, né à Trieste, en Autriche, le 27 novembre 1835, décédé à Asnières (Seine), le 21 août 1919, ministre plénipotentiaire à Pékin de 1891 à 1898, puis ambassadeur à Washington, grand-croix de la Légion d'honneur par le décret du 19 juillet 1906 : A.N. LH/443/11 (dossier de Légion d'honneur) ; Ian Nish, *The Origins of the Russo-Japanese War*, London - New York, Routledge, 1985, 274 p., p. 30, 37, 57-60, 135-136.

12 – Auguste Gérard, *op. cit.*, p. 38. Selon Auguste Gérard, il était malaisé de savoir en quoi consistaient les revenus annuels de la Chine. Il les évalua à 78 millions de taëls, soit 624 millions de francs. L'impôt foncier s'élevait à environ 10 millions de taëls, les douanes maritimes, « administrées par un "staff" étranger » à 15 millions, la gabelle du sel à 12 millions, etc. La dette étrangère était jusqu'à lors insignifiante : 100 millions de francs (*Ibidem*, p. XXIX-XXX).

13 – *Ibidem*, p. 41-46.

14 – *Ibid.*, p. 47 et 49-50. Au sujet de la conclusion de l'Intervention tripartite, voir : Lucien de Reinach, *op. cit.*, p. 327-328 : « Rescrit de l'Empereur du Japon à son peuple, expliquant les raisons pour lesquelles il a cédé aux remontrances de l'Allemagne, de la France et de la Russie, touchant les conditions de la paix avec la Chine (10 mai 1895). », signé par l'empereur le 18e jour du 5e mois de la 28e année de Meiji.

15 – Au sujet du « Grand Jeu », voir : Henry Laurens, *Les crises d'Orient, 1768-1914*, Paris, Fayard, 2017, 383 pages.

remboursables en vingt ans, et garantie sur les revenus généraux de l'Empire. Mon gouvernement, à qui j'avais aussitôt fait connaître cette démarche, ne m'avait pas répondu, le *Comptoir National d'Escompte* sans doute n'étant pas très disposé à accueillir la requête. Le 9 mai [1895], au contraire, c'est-à-dire au lendemain de la ratification définitive du traité de Shimonoseki, M. Hanotaux[16] me priait, par télégramme, de faire savoir au gouvernement chinois que des établissements français de premier ordre étaient prêts à prendre une part importante à l'emprunt que la Chine songeait à faire en Europe. M. Hanotaux ajoutait que les gouvernements russe et allemand faisaient à Pékin une communication de même genre. [...] Sir Robert Hart, d'autre part, chargé de sonder les financiers en Europe, n'avait pas manqué, selon son habitude, de s'adresser d'abord au marché de Londres. Mais, et par la prompte action du gouvernement russe, qui n'entendait pas se laisser prévenir, la question prit tout de suite un tel tour qu'il devint clair que c'était au cabinet de Saint-Pétersbourg et à celui de Paris que le gouvernement chinois s'en remettait du soin de conduire et de résoudre une affaire dont le caractère était assurément plus politique encore que financier.
Le gouvernement russe, en effet, n'avait perdu ni un jour ni une heure. Après s'être assuré par une mission à Paris de M. Rothstein, directeur de la *Banque Internationale de Saint-Pétersbourg*[17] et agent de confiance de M. Witte, ministre des Finances, qu'un syndicat français [...], était prêt à faire l'opération. Il avait été indiqué au ministre de Chine à Saint-Pétersbourg, Hiu K'ing-tch'eng, les conditions particulièrement avantageuses auxquelles la Russie se faisait fort de conclure un emprunt de 400 millions de francs, au taux d'intérêt de 4 pour 100, remboursable en trente-six mois, et revêtu de l'aval de sa propre garanti[18].

Dès le 11 juin 1895, le baron Schenck protesta à propos de l'évincement de l'Allemagne, tandis que Sir Robert Hart – inspecteur général du Service maritime impérial chinois – chercha à réserver une part à l'Angleterre et à l'Allemagne[19]. Si par le décret du 6 juillet, l'empereur de Chine autorisa l'émission de l'emprunt par le syndicat franco-russe, le Zongli Yamen laissa entendre aux ministres britannique et allemand que l'emprunt suivant, après un délai prévu de six mois imposé par la France, pouvait être partagé entre leurs pays respectifs.

L'émission qui eut lieu sur les places de Paris, Saint-Pétersbourg, Genève, Bruxelles et Amsterdam, le 19 juillet 1895, fut couverte plus de douze fois, et servit de base pour la création d'un établissement bancaire franco-russe[20]. Parmi les membres du syndicat franco-russe figura le *Comptoir National*

16 – Albert Auguste Gabriel Hanotaux, ministre des Affaires étrangères, alors officier de la Légion d'honneur (A.N. LH/1264/55, dossier de Légion d'honneur).

17 – Créée en 1869, au capital initial fixé à 5 000 000 roubles, la *Banque Internationale de Commerce de Saint-Pétersbourg* ou *St-Petersburger International Handels-Bank* défendait au cours des années 1890 et jusqu'à la veille de la Première Guerre mondiale les intérêts allemands en Russie. Voir : A.N.M.T., à Roubaix, 65AQ A 865, dossier « *Banque Internationale de Commerce de Saint-Pétersbourg* ».

18 – Il s'agissait du tiers de l'indemnité de guerre de 300 millions de taëls. Voir Auguste Gérard, *op. cit.*, p. 68-70.

19 – *Ibidem*, p. 70.

20 – *Ibid.*, p. 72.

d'Escompte de Paris, le seul établissement au sein de ce groupe à avoir plusieurs agences en Chine.

LES AFFAIRES DU *COMPTOIR NATIONAL D'ESCOMPTE DE PARIS* EN CHINE JUSQU'À LA CRÉATION DE LA *BANQUE RUSSO-CHINOISE*

Le *Comptoir National d'Escompte de Paris* (*C.N.E.P.*) fut fondé le 2 mai 1889, sur les cendres du *Comptoir d'Escompte de Paris*, emporté par le *Krach des cuivres*, et mis en liquidation le 7 mars 1889. Née en avril 1848, cette vénérable institution évolua profondément en vertu du décret impérial du 25 mai 1860, l'autorisant à établir des agences en France, dans les colonies françaises et à l'étranger, ceci en conséquence du traité de commerce franco-britannique signé le 23 janvier de cette année. Dans la foulée, le *Comptoir d'Escompte de Paris* (*C.E.P.*) fonda la *Société de Crédit colonial* en octobre 1860, transformée en *Société de Crédit foncier colonial* en août 1863, et ouvrit diverses agences en Inde et en Chine, dont celles de Shanghai en 1860 - où elle acquit un terrain et fit construire un palais bancaire - et de Hong-Kong en 1862, qui établit un service financier à Saigon. En 1875, le *C.E.P.*, seul établissement français à être présent en Extrême-Orient, s'allia avec la *Société générale de Crédit Industriel et Commercial* (*C.I.C.*) et la *Banque de Paris et des Pays-Bas* pour fonder la *Banque de l'Indochine*[21].

Si l'agence de Hong-Kong fut fermée en 1877 en raison de la diminution de ses activités[22], celle de Shanghai continua de prospérer. Profitant des clauses du traité de paix et d'amitié conclu entre la Chine et la France, le 9 juin 1885, qui mit un terme au conflit qui les opposa pour le contrôle du Tonkin, et jeta les bases d'accords commerciaux et industriels entre les deux pays[23], le *C.E.P.* constitua un syndicat réunissant diverses sociétés, dont la *Société de Fives-Lille* et la *Société Anonyme des anciens Établissements Cail*, chargé des constructions du port militaire et de l'arsenal de Port-Arthur, à partir de novembre 1886, et de deux ponts sur le Pei-Ho, de livrer deux dragues pour le Fleuve Jaune en avril 1887, *etc.*[24]. Des sous-agences furent ouvertes derechef à Hong-Kong, ainsi qu'à Tien-Tsin, Foutchéou (Fuzhou), Hankéou (Hankou)[25]. L'effondrement du *C.E.P.* et la perte de 4 millions de francs subie par le syndicat entrainèrent

21 – Marc Meuleau, *Des pionniers en Extrême-Orient. Histoire de la Banque de l'Indochine 1875-1975*, Paris, Fayard, 1990, 647 p., p. 32-54.

22 – *Comptoir d'Escompte de Paris. Rapport à l'assemblée générale ordinaire des actionnaires du 31 janvier 1878. Compte rendu des opérations de l'année 1877*, Paris, Imprimerie centrale des chemins de fer, A. Chaix et Cie, p. 15 ; Hubert Bonin, "French Banking in Hong Kong: From the 1860s to the 1950s", in Shizuya Nishimura, Toshio Suzuki, Ranald C. Michie, eds, *op. cit.*, p. 124-144 (p. 124 et 126).

23 – Lucien de Reinach, *op. cit.*, p. 229-233, et les annexes, p. 233-235 : « Traité de paix, d'amitié, et de commerce, conclu entre la France et la Chine, le 9 juin 1885, à Tien-Tsin (Échange des ratifications, à Pékin, le 20 novembre 1885) », voir p. 232.

24 – Thierry Claeys, Wen Wen, *art. cit.*, p. 263.

25 – Marc Meuleau, *op. cit.*, p. 181.

la fermeture de celle de Tien-Tsin. Cette affaire tourna au scandale mais fut rapidement étouffée. Accusé en 1893 d'avoir perçu indument 90 000 F du *C.E.P.* pour avoir servi d'intermédiaire au syndicat[26], Paul Octave Ristelhueber, consul de France à Tien-Tsin, fut admis à faire valoir ses droits à la retraite par le décret du 23 mars 1895[27]. Quelques mois plus tard, il fut recruté pour organiser l'agence parisienne de la future *Banque Russo-chinoise.*

Le *C.N.E.P.* reprit les agences subsistantes en Chine et racheta le palais bancaire de Shanghai en mars 1890[28]. La direction de l'agence de Shanghai fut confiée à Eugène Gabriel Vouillemont[29] ; de là, il gérait les agences de Hong-Kong et de Yokohama ainsi que les affaires aux Indes[30]. La fermeture des agences de Hong-Kong et Bombay, jugées non rentables, fut programmée pour la fin de l'année 1894[31]. À la fin du mois janvier 1895, Hincelot qui dirigea celle de Chicago[32], fut nommé à la tête de l'agence de Shanghai pour y remplacer par intérim Vouillemont, rentré en France pour des raisons de santé[33].

Entre-temps, François Lütscher, un ancien diplomate, avait été engagé par le *C.N.E.P.*[34] pour traiter à partir de l'agence Shanghai d'affaires industrielles et financières avec la Chine et le Japon. En décembre 1894, il fut envoyé au Japon pour y négocier le placement d'un emprunt de l'état nippon en Europe[35].

26 – Paul Boell, *Les scandales du Quai d'Orsay. Les pots-de-vin du consul - la trahison Bourée, le cas Lemaire*, Paris, Albert Savine Éditeur, 1893, 138 p., p. 19-21.

27 – Archives du Ministère des Affaires étrangères, Personnel, 1ère série, 3485, dossier de Paul Octave Ristelhueber ; Nicole Bensacq-Tixier, *Dictionnaire du corps diplomatique et consulaire français en Chine (1840-1911)*, Paris, Les Indes Savantes, 2003, 771 p., p. 476-484 (notice Paul Ristelhueber) ; Thierry Claeys, Wen Wen, art. cit., p. 264-265.

28 – A.N. M.C., LXXXV, 1555, 17 mars 1890, vente de la propriété à Shanghai moyennant 100 000 F.

29 – Archives historiques de BNP-Paribas 69AH165, procès-verbaux des séances du conseil d'administration du *C.N.E.P.* (désormais p.-v.) des 23 juin et 28 juillet 1891. Vouillemont avait été nommé directeur à l'agence de Shanghai en 1879 à l'âge de 32 ans. Envoyé à Londres, il retourna à Shanghai dès juillet 1891. Voir à son sujet : Guy Brossollet, *Annuaire des Français de Shanghai 1842-1955. Identités, professions, familles, dates de séjour, etc.*, Paris, Édition Rive Droite, 2002, 189 p., p. 186, notice Vouillemont ; A.N. LH/2739/5, dossier de Légion d'honneur d'Eugène Gabriel Vouillemont.

30 – Arch. de BNP-Paribas 69AH166, p.-v. du 27 juillet 1892.

31 – Arch. de BNP-Paribas 69AH168, p.-v. du 6 décembre 1893 : « L'agence de Shanghaï qui ne cesse de donner de bons résultats, sera maintenue définitivement. Par contre, le conseil est d'avis, en principe, de fermer l'agence de Hong-Kong aussitôt que les circonstances le permettront et, en tous cas, de ne régler la question du bail de ladite agence qui expire fin 1894, qu'en s'inspirant des intérêts sociaux et des relais nécessaires à liquidation rationnelle de l'agence. Le conseil admet également en principe la fermeture de l'agence de Bombay pour une date qui sera déterminée d'après les conclusions de l'étude à laquelle il est procédé sur les agences de l'Inde. »

32 – La fermeture de l'agence de Chicago avait été décidée le 11 octobre 1893 et Hincelot devait être temporairement mis en disponibilité. Le 8 novembre 1893, la fermeture de Chicago fut reportée (Arch. de BNP-Paribas 69AH168). Concernant Hincelot, voir également : Arch. de BNP-Paribas 69AH166, p.-v. des 10 août et 7 septembre 1892 ; Arch. de BNP-Paribas 69AH167, p.-v. des 30 août et 6 septembre 1893 ; Arch. de BNP-Paribas 69AH169, p.-v. du 19 juillet 1894.

33 – Archives de BNP-Paribas 69AH169, p.-v. du 30 janvier 1895.

34 – François Lütscher, chancelier substitué du consulat général de France à Shanghai, en 1886 (A.N. M.C., CXV, 1645, 7 juin 1886, procuration), puis agent diplomatique de Tché-Fou - Yantai -, avait été engagé en février 1891 par la société *Le Nickel* - fondée en 1880, contrôlée par *Rothschild frères*, depuis 1883 -, pour recruter des travailleurs chinois - sans succès - puis japonais (Yann Bencivengo, « L'immigration japonaise en Nouvelle-Calédonie : une illustration de l'affirmation du Japon dans le Pacifique », *Journal de la Société des Océanistes*, 135, 2012-2, p. 215-228).

35 – Arch. de BNP-Paribas 69AH169, p.-v. des 19 décembre 1894, 3 et 30 janvier 1895 ; Arch. de BNP-Paribas 69AH170, p.-v. des 17 et 24 avril 1895.

Le 24 avril 1895, le *C.N.E.P.* renonça à ce projet et invita Lütscher à se rendre à Shanghai, « pour prendre contact avec les autorités chinoises, et se tenir à la disposition du *Comptoir* pour des démarches éventuelles ayant pour objet la conclusion d'un emprunt Chinois »[36]. Rappelé à Paris, Lütscher rendit compte de sa mission en Chine et au Japon au conseil d'administration lors de la séance du 4 septembre 1895 et remit son rapport dans lequel il préconisa la création, de concert avec des partenaires russes, d'une banque en chinoise[37]. Le 18 septembre, tenant compte des conclusions du rapport de Lütscher et des impressions d'Hincelot, le conseil d'administration du *C.N.E.P.*, présidé par Ernest Denormandie, renonça à son propre projet pour adhérer, de toute évidence à grand regret, au syndicat constitué par Adolf Rothstein pour « la création d'une Banque Sino-Russe et Française », et de lui céder le palais bancaire de Shanghai[38]. Cette nouvelle banque avait pour objectifs la gestion de l'emprunt chinois, l'obtention et l'exploitation de concessions en Chine pour assurer la rémunération des arrérages de cet emprunt.

36 – Arch. de BNP-Paribas 69AH170, p.-v. du 15 mai 1895. À cette occasion, le président du C.A. rendit « [...] compte des deux séances tenues au *Crédit lyonnais* par les représentants des établissements de crédit pour délibérer sur l'emprunt Chinois en perspective. Après avoir pris acte de la déclaration du *Comptoir* sur les négociations déjà engagées par lui avec la *Disconto Gesellschaft*, les établissements se sont mis d'accord pour participer, avec la haute banque, à cette opération, concurremment avec l'Allemagne, l'Angleterre et la Russie. Un comité, composé des délégués des établissements de crédit et de M. Heine, pour la haute banque, a été constitué sous la présidence de M. J. Stern, avec mission de suivre l'affaire et de faire connaître au ministre des Affaires étrangères de France l'entente intervenue, cette démarche étant la suite naturelle de l'entrevue qu'ont eue précédemment avec le Ministre Messieurs Denormandie et Vlasto, au nom du *Comptoir*. Les réunions ultérieures des établissements pour cet objet auront lieu à la *Banque de Paris et des Pays-Bas*. Le *Comptoir* a été chargé de notifier à la *Disconto Gesellschaft* le groupement des banques françaises pour cet objet. » Cette opération fut rendue caduque par l'entente diplomatique franco-russe.

37 – Arch. de BNP-Paribas 69AH170, p.-v. du 4 septembre 1895.

38 – Arch. de BNP-Paribas 69AH170, p.-v. du 18 septembre 1895. Ernest Denormandie, président du *C.N.E.P.*, déclara au cours de cette séance :

La conclusion du rapport de M. Lutscher au retour de son voyage au Japon et en Chine a été qu'aucune affaire ne pouvait être tentée dans ce dernier pays sans l'appui décisif d'une influence politique et que nulle autre influence que celle de la Russie, toute puissante en ce moment en Chine ne pouvait avoir cet action décisive.

Le Directeur intérimaire de l'Agence du Comptoir à Shanghai ayant fait part d'impressions identiques, la direction générale a songé à réaliser ce programme en provoquant la création d'une Banque Sino-Russe et Française. Des échanges de vue ont eu lieu à ce sujet avec le Directeur de l'Agence de Londres. Les journaux ont annoncé la venue à Paris de M. Rothstein en vue de constituer une affaire semblable avec le groupe qui a dirigé le syndicat de l'emprunt Sino-Russe. Le Comptoir se trouvait donc devancé dans l'exécution de ce projet et menacé dans ses intérêts en Chine puisqu'il aurait eu à faire à une concurrence d'autant plus gênante qu'elle allait représenter un courant d'idées très sympathique à la France.

En cette situation, il a été jugé nécessaire d'entamer des pourparlers avec le groupe Rothstein pour arriver à une entente permettant l'accession du comptoir à la nouvelle entreprise.

Ces pourparlers ont abouti à ce jour à un accord portant sur la cession de [...] l'Agence de Shanghaï à la nouvelle banque et sur la vente de l'immeuble occupé par ladite Agence, le *Comptoir* intervenant par contre au même titre que les trois autres participants français dans la constitution de la nouvelle affaire et devant jouir des mêmes avantages, tant dans le présent que dans l'avenir.

Le capital sera probablement de 8 millions de roubles, les 5/8es étant faits par des capitaux français et les 3/8es par des capitaux russes.

La difficulté qui empêche la réalisation définitive de l'entente est le désir exprimé par le *Comptoir* d'avoir une représentation dans le conseil tandis que M. Rothstein, limitant à trois le nombre des administrateurs français, il est impossible en égard aux engagements déjà pris de trouver un siège pour le représentant du *Comptoir* [...].

LA NAISSANCE DE LA *BANQUE RUSSO-CHINOISE* (*B.R.C.*) ET LES DÉSENCHANTEMENTS FRANÇAIS

Le syndicat constitué par Adolf Rothstein, comprit *Hottinguer et Cie*, l'une des maisons de la haute banque parisienne, très présente en Russie depuis la fondation de la *Grande Société des chemins de fer Russes* en 1857[39], la *Banque de Paris et des Pays-Bas* et le *Crédit lyonnais*. Le *C.N.E.P.* n'avait pas été immédiatement pressenti pour en faire partie. Suivant le contenu d'une lettre adressée le 21 septembre 1895, par Alexis Rostand, directeur du *C.N.E.P.*, à Ernest Denormandie, les premiers rapports avec Rothstein furent exécrables[40]. N'étant pas parvenu à obtenir une place d'administrateur dans le futur établissement, Rostand s'adressa à un partenaire et ami de fort longue date, le négociant soyeux lyonnais Auguste Chabrières[41], chef de la maison *Chabrières, Morel et Cie*, qui avait des intérêts en Chine, pour représenter le *C.N.E.P.* et le *Crédit lyonnais* au sein du conseil d'administration. Celui-ci accepta finalement sans être convaincu du bienfondé de cette proposition[42]. Rostand pressentit Vouillemont pour assurer la codirection de l'agence de Shanghai, mais celui-ci déclina l'offre en raison de graves problèmes de santé. Hincelot fut maintenu dans ses fonctions et fut chargé de la liquidation des affaires du *C.N.E.P.*[43]. Consultés, Lazarus et Holstein, qui dirigeaient respectivement les agences londonienne et lyonnaise du *C.N.E.P.*, l'un sur les questions des métaux fins et sur la possibilité que la sous-agence de Manchester servit de relai à la *Sino-russe*, l'autre sur l'accueil d'une succursale de cette dernière, ne se montraient pas davantage rassurants[44]. Le *C.N.E.P.*, qui espéra pouvoir placer l'un de ses employés comme caissier au sein de l'administration de la succursale de la *B.R.C.*, connut une nouvelle déconvenue à la fin du mois de décembre 1895[45].

39 – Voir : Thierry Claeys, « L'ingénierie française au service de la Grande Société des chemins de fer Russes », article à paraître en 2020.

40 – Arch. de BNP-Paribas 73AH/306, Constitution de la Banque Russo-Chinoise, dossier 2, correspondance, sous-dossier 1, MM. Denormandie et Berger. Excédé, Rostand écrivit à propos de Rothstein : « nous avons même échangé des paroles très aigres avec ce juif allemand, mâtiné de Cosaque, qui prétend mener tous ses associés français avec le knout. »

41 – Fils de Paul Mathieu Auguste Maurice Chabrières, négociant à Oullins puis trésorier-payeur général du Rhône, officier de la Légion d'honneur, et d'Adélaïde Arlès-Dufour – fille de François Barthélemy Arlès, dit Arlès-Dufour, l'un des fondateurs du *Crédit lyonnais*. Voir : A.N. LH/467/2 (dossier de Légion d'honneur de Paul Mathieu Auguste Maurice Chabrières) ; Dieter Brötel, *Frankreich im fernen Osten. Imperialistische Expansion in Siam und Malaya, Laos und China, 1880-1904*, Stuttgart, Franz Steiner Verlag, 1996, 890 p., chap. 7, 2.3, « „Französisches Kapital in der Banque russo-chinoise“ », p. 418 et suiv. (sur Chabrières, voir p. 419) ; Robert Lee, *France and the Exploitation of China 1885-1901. A Study in Economic Imperialism*, Hong Kong, Oxford University Press, 1889, 358 p., p. 114 et 125.

42 – Arch. de BNP-Paribas 73AH/306, doss. 2, sous-dossier 2, Chabrières (échange de lettres à partir du 2 septembre 1895). Dans sa lettre du 23 septembre, dubitatif, Chabrières écrivit : « [...] Je me demande si, à Paris, on pourra tenir les Russes de Pétersbourg en main ? Je connais Pétersbourg et les Russes, et ma confiance est limitée. »

43 – Arch. de BNP-Paribas 73AH/306, doss. 2, sous-dossiers 2 (Chabrières), 3 (Vouillemont), et 6 (Hincelot).

44 – Arch. de BNP-Paribas 73AH/306, doss. 2, sous-dossiers 4 (Lazarus) et 5 (Holstein). Le *C.N.E.P.* imaginait l'envoi à Shanghai de piastres de la *Banque nationale du Mexique* (*B.N.M.*), dont Nœtzlin, à la fois administrateur de la *Banque de Paris et des Pays-Bas*, de la *B.N.M.*, et de la *B.R.C.*

45 – Arch. de BNP-Paribas 73AH/306, doss. 2, sous-dossier 2 (Chabrières). Dépité à l'annonce du refus du choix de Reumond, entré en août 1870, caissier de l'agence du Havre depuis le 1er mars 1890, Rostand écrivit à

Seule la cession de l'immeuble à Shanghai moyennant 200 000 F était perçue comme une opération satisfaisante[46].

La *B.R.C.*, au capital social de 6 000 000 roubles or, divisé en 40 000 actions de 125 roubles et 4 800 certificats de fondateurs, et dont les statuts furent sanctionnés par le Tsar le 10 décembre 1895, fut définitivement créée le 17 janvier 1896 par le prince Hespère Oukhtomsky - le compagnon de voyage du tsarévitch Nicolas dans son expédition en Extrême-Orient -, René Brice, administrateur du *Crédit lyonnais*, Jean Goldstand, conseiller d'État, Rodolphe baron Hottinguer, Ernest Denormandie, président du *C.N.E.P.* et de la *Banque de l'Indochine*, Édouard Nœtzlin, représentant la *Banque de Paris et des Pays-Bas*, Adolf Rothstein et Jacques Stern. Sur les huit administrateurs, cinq furent russes, Pétersbourgeois[47], et trois français (Édouard Nœtzlin - Suisse -, Joseph Hottinguer et Auguste Chabrières).

Initialement, 30 000 actions furent attribuées aux investisseurs français : 7 325 actions à chacun des quatre établissements fondateurs (*Banque de Paris et des Pays-Bas, C.N.E.P., Crédit lyonnais, MM. Hottinguer et Cie*) et 700 à J. Stern, R. Brice, E. Denormandie, R. baron Hottinguer, J. Hottinguer, A. Chabrières et Éd. Nœtzlin, soit 100 chacun. Ne pouvant conserver que 6 000 actions, les établissements fondateurs durent en céder chacun 1 325. Chargé de placer le surplus des actions, soit un total de 9 675, et de centraliser les versements de fonds, la *Banque de Paris et des Pays-Bas* en conserva temporairement 3 000 pour elle-même et céda 500 à la *Société Générale pour le développement du Commerce et de l'Industrie en France*, 750 au *C.I.C.*, et 1 075 à *Chabrières, Morel et Cie*. Il est impossible de donner la liste exhaustive des 25 souscripteurs auprès de la *Banque de Paris et des Pays-Bas*, toutefois, parmi les principaux figurèrent la *Société générale de Bruxelles* (1200 actions), la *Banque Internationale de commerce de Saint-Pétersbourg* (500), *A. J. Stern & Cie* (1400), et *Demachy* & F. Seillière (400)[48]. Sur ses 6 000 actions, le *C.N.E.P.* se défit de 2 000, dont 1 000 rétrocédées à la *Banque Internationale de commerce de Saint-Pétersbourg*, 200 au *Syndicat Financier Romand* à Lausanne, 100 au consul général de France de Shanghai, Dubail, *etc.*[49]

Chabrières : « Je vois qu'à l'avenir, il faudra se préoccuper d'introduire dans la place de nos collaborateurs qui puissent contrebalancer les influences d'autres sociétés, qui s'efforcent de tirer toute la couverture à elles. »

46 – Arch. de BNP-Paribas 73AH/306, doss. 2, sous-dossier 7 (*Banque Russo-chinoise*), correspondances des 31 décembre 1895 et 7 janvier 1896. Hincelot fut chargé de licencier une partie ou l'intégralité du personnel de l'agence de Shanghai et de céder le mobilier (Arch. de BNP-Paribas 69AH/171, p.-v. du 22 janvier 1896).

47 – Les cinq Russes ou assimilés imposés à la première assemblée générale extraordinaire du 9 janvier 1896, présidée par Antzyforoff, furent le prince Oukhtomski, nommé président du Conseil d'administration, T.K. Nothafft, P. M. Romanoff, Adolf J. Rothstein, administrateur délégué, et A.D. Startsoff. Voir Centre d'Archives Économiques et Financières du Ministre des Finances, à Savigny-le-Temple (désormais C.A.E.F.), B 0031260/1, pièce 148.

48 – Arch. de la BNP Paribas 11AH255, dossier 3.

49 – Arch. de la BNP Paribas 73AH/306, dossier 1, « Constitution de la Banque Russo-Chinoise, syndicats ».

La *B.R.C.* était représentée par Adolf Werth et Hincelot – remplacé après son décès, survenu fin 1896[50], par Charles Wehrung – à Shanghai et Dmitrii Dmitrievich Pokotilov à Pékin.

La succursale de la *B.R.C.* à Paris, chargée de la correspondance et de réceptionner les fonds, dirigée par Nœtzlin, administrateur délégué à Paris, secondé par Ristelhueber, fut successivement installée au 4, rue Glück, en janvier 1896, puis au 73, Bd Haussmann au début du mois de mars suivant, et enfin au 2, rue Le Peletier[51]. Ultérieurement, Ristelhueber en devint l'un des deux directeurs, fonction qu'il conserva jusqu'en 1910[52].

Rapidement, les établissements bancaires et le gouvernement français découvrirent les arrière-pensées du gouvernement russe. Ce dernier avait écarté tous les investisseurs autres que russes et chinois lors de la création de la *Société du chemin de fer de l'Est-Chinois*[53], après la signature du traité secret Li-Lobanov, signé à Moscou le 22 mai 1896 par le comte Li-Hung-Chang (Li Hongzhang), « grand-secrétaire d'État, ambassadeur extraordinaire et plénipotentiaire » de Chine, le prince Alexis Lobanov-Rostovski, ministre des Affaires étrangères de Russie, et Sergeï Witte, durant les cérémonies du couronnement de Nicolas II[54]. En outre, aux 10 000 actions acquises par celui-ci s'ajouta la création de 12 000 actions nouvelles, imposée à l'assemblée générale extraordinaire du 16 juin 1898, entièrement dévolues au gouvernement ; le

50 – Archives historiques du Crédit Agricole SA, DEEF 20150, dossier concernant les rapports annuels de la Banque Russo-Chinoise (1896-1909) : rapport pour l'exercice 1896. Nous tenons à remercier messieurs Pascal Pénot et Nicolas Gueugneau qui nous ont ouvert les Archives historiques du Crédit Agricole SA.

51 – Arch. de BNP-Paribas 73AH/306, doss. 1.

52 – À ce titre, il fut administrateur de nombreuses sociétés franco-russes en Chine, et l'un des fondateurs, avec Joseph Radin, son collègue, de la *Société Française de construction et d'exploitation des chemins de fer en Chine* pour la construction et l'exploitation d'un chemin de fer de Cheng-Ting-Fou à Tai-Yuan-Fou (ligne de Chan-Si), en 1904 (Arch. de Paris D31U[3] 1033, enregistrement au greffe du Tribunal de commerce de la Seine des statuts, le 2 mars 1904), et la *Société Russe Française d'entreprises industrielles de Travaux publics* en 1907.

53 – Joseph Marchisio, *Les chemins de fer chinois. Finance et diplomatie (1860-1914)*, Paris, Éditions You-Feng, 2005, 397-iv p., p. 197-200 ; Arch. de BNP-Paribas 73AH/306, doss. 2, sous-dossier 9 (Rothstein), lettres des 23 décembre 1896 et 4 janvier 1897.

54 – Boris Alexandrovich Romanov, *Rossia v Manchzhurrii (1892-1906)*, Leningrad, Institut Dalnego vostoka, 1928, X-607 p., p. 111. L'auteur publia la version française du traité (« De ces deux textes [en chinois et français], dûment confrontés et trouvés concordant, le texte français fera foi pour l'interprétation du présent traité »). Suivant l'art. I, « Toute agression dirigée par le Japon soit contre le territoire Russe de l'Asie Orientale, soit contre le territoire de la Chine ou celui de la Corée sera considéré comme devant entraîner l'application du présent traité (...) ». Ce traité exclut toute conclusion de paix séparée (art. II). « Pendant les opérations militaires, tous les ports de la Chine seront, en cas de nécessité, ouverts aux bâtiments de guerre Russes, lesquels y trouveront de la part des autorités Chinoises toute l'assistance dont ils pourraient avoir besoin » (art. III). « Afin de faciliter aux troupes Russes de terre l'actes des points menacés et assurer les moyens de leur subsistance, le Gouvernement Chinois consent à la construction d'une ligne de chemin de fer à travers les provinces Chinoises de l'Amour et de Guirin dans la direction de Vladivostok. La jonction de ce chemin de fer avec le chemin de fer Russe ne saurait servir de prétexte à aucun empiétement sur le territoire Chinois ni à aucune atteinte aux droits de Souveraineté de Sa Majesté l'Empereur de Chine. La construction et l'exploitation de ce chemin de fer seront accordées à la Banque Russo-Chinoise et les clauses du contrat qui sera conclu à cet effet seront dûment débattues entre le Ministre de Chine à Saint-Pétersbourg et la Banque Russo-Chinoise. » (art. IV). « Il est entendu qu'en temps de guerre prévu par l'article I, la Russie aura le libre usage du chemin de fer mentionné dans l'article IV pour le transport et l'approvisionnement de ses troupes. En temps de paix, la Russie aura le même droit pour le transit de ses troupes et de ses approvisionnements avec des arrêts qui ne pourront être justifiés par aucun motif autre que les besoins du service de transport. » (art. V).

conseil d'administration compta onze administrateurs dont huit Russes[55]. Enfin, la *B.R.C.* se présenta comme concurrent direct de la *Hong Kong and Shanghai Banking Corporation*[56] et de la *Banque de l'Indochine* avec laquelle elle devait entretenir de bonnes relations.

C'est dans ce contexte que le gouvernement français imposa le 8 juillet 1899 l'entrée au conseil d'administration de la *B.R.C.* de Maurice Verstraete, alors consul de France à Saint-Pétersbourg, spécialiste des questions économiques en Russie, de manière à être informé des agissements de cet établissement. Celui-ci s'opposa constamment à Rothstein jusqu'au décès de ce dernier survenu en 1904, ainsi qu'à l'influence allemande au sein de la *B.R.C.* Enfin, il critiqua Nœtzlin, jugé trop complaisant. Nommé directeur de la *Banque du Nord*, fondée par la *Société Générale pour le développement du Commerce et de l'Industrie en France* en 1901, il fut l'artisan de la fusion de la *B.R.C.*, en crise depuis 1907, et dont le gouvernement russe se désintéressa depuis la guerre russo-japonaise, et de la *Banque du Nord* en 1910[57], pour fonder la *Banque Russo-Asiatique*, un établissement véritablement franco-russe[58].

La création de la *Banque Russo-Chinoise* répondit à des stratégies géopolitiques divergentes. De toute évidence, Sergeï Witte se servit des capitaux français au seul profit de sa politique à sens unique. Le *C.N.E.P.* fut la principale perdante de cette opération par la cession de ses agences et positions en Chine. Contrairement aux autres membres du syndicat franco-russe, la direction du *C.N.E.P.* avait parfaitement perçu la duplicité de Rothstein, l'infériorité des positions françaises par l'absence d'un comité à Paris et par l'inégale répartition des postes au conseil d'administration, et n'adhéra de fait que contraint et forcé afin de ne pas tout perdre en Chine. Les espoirs de ses partenaires français furent douchés lorsqu'ils découvrirent les desseins de Witte et Rothstein. Cette affaire révéla une certaine naïveté de la part des autorités et établissements bancaires français, probablement trop confiants dans le mirage de l'alliance franco-russe ratifiée par la France le 4 janvier 1894, et des perspectives qu'elle sembla offrir.

55 – C.A.E.F., B 0031260/1, pièce 131.

56 – Zhaojin Ji, *op. cit.*, p. 71.

57 – Voir : Thierry Claeys, « Maurice Paul Alfred Verstraete, diplomate et banquier français, l'un des acteurs de l'alliance franco-russe », article à paraître en 2020.

58 – Thierry Claeys, « Description d'une action de la Banque Russo-Asiatique (1911) », dans Thierry Claeys, Francine-Dominique Liechtenhan (dir.), « Economic, financial and technological relations between the Russia and the West at the dawn of the First World War - Les relations économiques, financières et technologiques entre la Russie et l'Occident à l'aube de la Première Guerre mondiale », *Revue Française d'Histoire Économique - The French Economic History Review*, n° 7-8, 2017 I-II, p. 216-223.

LA BANQUE DE SYRIE ET DU LIBAN : un acteur du développement économique au Levant à l'époque du Mandat français (1919-1939)

Georges El Daccache
Docteur de Sorbonne Université.

La période allant de la fin de la Première Guerre mondiale jusqu'au 1er mai 1920[1] fut une période critique pour le secteur monétaire en Orient. Les monnaies en circulation introduites par les Britanniques furent une difficulté majeure pour les Français. L'usage de la monnaie égyptienne comme monnaie légale et libératoire n'arrangeait plus la France, « [...] qui était obligée, pour obtenir des livres égyptiennes, d'offrir des francs en quantités croissantes, à mesure qu'augmentaient ses dépenses militaires, administratives et politiques, comme conséquence de sa situation de seule puissance occupante »[2]. Pour mettre en œuvre l'application des accords de Sykes-Picot, les Français cherchèrent à asseoir leur autorité sur le Levant. L'émission d'une nouvelle monnaie basée sur le franc français put finalement évincer l'élément britannique du Levant

1 – D'après l'arrêté du 31 mars 1920, la monnaie syrienne sera la monnaie officielle au Levant à partir du 1er mai 1920 : A.M.A.E. (Archives du ministère des Affaires étrangères), E-Levant, correspondances diplomatiques et commerciales, 50 CPCOM/62, Correspondance Gouraud ministère des Affaires étrangères, 2 avril 1920.
2 – Joseph Oughourlian, *Une Monnaie, un État, histoire de la monnaie libanaise*, Ed. Erès, Toulouse, 1982, p. 24.

ainsi que la monnaie égyptienne (basée sur la livre sterling) imposée par les autorités britanniques. L'émission de la livre syrienne au courant de l'année 1920 fut bénéfique pour la France. L'émission du nouveau billet syrien demandait la création d'un établissement bancaire ayant le privilège d'émission. Or, la Banque ottomane qui avait ce pouvoir avant la guerre, ne pouvait plus exercer ce privilège dans les régions détachées de l'Empire ottoman après la guerre en raison de sa nationalité ottomane. Fort de ce constat, la Banque Impériale Ottomane (BIO) créa une filiale qui prit la relève au Levant et eut le privilège d'émission du nouveau billet syrien : la banque de Syrie était née[3].

3 – A.M.A.E., E-Levant, correspondances diplomatiques et commerciales, 50 CPCOM/63, Lettre du ministre des Finances à Monsieur le ministre des Affaires étrangères 11 mars 1919.

ABSTRACT

The Bank of Syria and Lebanon was created on January 2nd 1919 by the Imperial Ottoman Bank. Being a commercial bank, it was granted the privilege of issuing the new Lebanese-Syrian bank-notes. This currency was directly attached to the French Franc in order to facilitate the administrative functioning of France in the Levant. In this position, the Bank did not hesitate to simultaneously carry out its commercial banking activity and profit from it. Its main activity was focused on credit and advances to the Levant States and individuals. It was also known to be a deposit bank. Its position as a bank issuing the local bank-notes inspired confidence to the population to come and deposit their savings. Its knowledge of the territory pushed French capital to ally with it for the execution of their investments in the Levant. Throughout its existence, BSL was a key player in the financial market in the Middle-East.

RÉSUMÉ

La Banque de Syrie et du Liban a été créée le 2 janvier 1919 par la Banque Impériale ottomane. Étant une banque commerciale, elle s'est vue attribuer le privilège de l'émission de la nouvelle livre libano-syrienne. Cette monnaie était rattachée directement au Franc français afin de faciliter le fonctionnement administratif de la France au Levant. Forte de cette position, la Banque n'a pas hésité à exercer parallèlement son activité de banque commerciale et en tirer profit. Son activité principale fut axée vers le crédit et les avances aux États du Levant et aux particuliers. Elle a été connue aussi pour être une banque de dépôt. Sa position de banque émettrice du billet local a inspiré confiance à la population locale pour y venir déposer leurs économies. Sa connaissance du territoire a poussé les capitaux français à s'allier avec elle pour l'exécution de leurs investissements au Levant. Tout au long de son existence, la BSL fut un acteur incontournable de la place financière en Orient.

JEL Classification: **F54, F55, G21**
Key words: **contemporary history of the Levant, history of France in the Levant, economic history of the Levant, banking history of the Levant, financial history, monetary history, French banks, French capital in the Levant**
Mots clés: **histoire contemporaine du Levant, histoire de la France au Levant, histoire économique du Levant, histoire bancaire du Levant, histoire financière, histoire monétaire, banques françaises, capitaux français au Levant**

LA CRÉATION DE LA BANQUE DE SYRIE ET DU LIBAN

La banque ne prit sa forme définitive qu'après la signature de la Convention du 23 janvier 1924.

Un début difficile

Dans sa lettre du 3 janvier 1919, le Comité de Paris de la Banque impériale ottomane informa le ministre des Finances de la création de la Banque de Syrie le 2 janvier 1919[4]. La création d'une Banque d'État allait être un facteur essentiel de développement des exportations et des importations françaises en Syrie et, en deuxième lieu, faciliter les exportations syriennes en assurant aux exportateurs des crédits en vue de la vente de leurs marchandises en France. En même temps, elle allait contribuer à la mise en valeur du pays par l'accord de prêts aux agriculteurs et industriels locaux, et apporter au Gouvernement son aide pour l'exécution de ses projets financiers (réforme monétaire, escompte de bons de trésor, emprunts[...])[5]. Le 3 novembre 1921, la Banque impériale ottomane approuva, par une délibération de l'Assemblée Générale de ses actionnaires à Londres, « Le projet de cession à la Banque de Syrie de toutes ses Agences situées dans les régions qui constituent aujourd'hui la Syrie et le Grand Liban »[6].

Le 6 mars 1919, la Banque de Syrie, depuis son siège de Paris, envoya au ministre des Finances français, un projet de contrat concernant l'émission d'un billet syrien. En effet, la Banque voulait, à travers ce projet, organiser « une branche spéciale d'émission, complètement indépendant des services de la Banque »[7]. Par lettre du 8 avril 1919 adressée à la Banque de Syrie, le ministre des Finances français donna son accord au projet d'émission de billets syriens[8]. Entre l'été et l'automne 1919, des négociations eurent lieu entre la Grande Bretagne et la France afin que cette dernière installe son autorité sur le Levant d'après les accords de Sykes-Picot. Le ministre des Affaires Étrangères français signalait ainsi au ministre des Finances que l'émission du billet syrien ne pourrait pas avoir lieu avant l'installation totale de l'autorité française au Levant et l'évacuation des troupes britanniques. Ainsi, les Britanniques n'auraient aucun pouvoir pour contester l'émission du nouveau

4 – A.M.A.E., E-Levant, Correspondances diplomatiques et commerciales, 50 CPCOM/62, Rapport de la direction des Affaires politiques et commerciales au ministère des Affaires étrangères, janvier 1918-février 1919.

5 – A.M.A.E., E-Levant, Correspondances diplomatiques et commerciales, 50 CPCOM/62, Rapport de la Direction des Affaires politiques et commerciales, *ibidem*.

6 – A.M.D.F. (Archives du ministère des Finances), n° B0032049, Lettre de la Banque de Syrie au ministre des Finances, le 19 novembre 1921.

7 – A.M.D.F., dossier n° B0032049, Lettre de la Banque de Syrie au ministre des Finances concernant le projet d'émission d'un billet syrien, 6 mars 1919.

8 – A.M.D.F., n° B0032049, Lettre du ministre des Finances français donnant son accord sur le projet d'émission de billet syrien par la banque de Syrie, 8 avril 1919.

billet[9]. À la suite de l'installation définitive des Français au Levant, le Haut-Commissaire, le Général Gourad, promulgua l'arrêté du 30 mars 1920 qui fit de la livre syrienne la monnaie officielle au Levant à partir du 1er mai 1920[10].

De la Banque de Syrie à la Banque de Syrie et du Grand Liban : convention et statuts

Une fois que le Mandat sur la Syrie et le Liban fut attribué à la France par la Société des Nations en juillet 1922, la Banque de Syrie n'attendit pas pour demander la confirmation de son privilège d'émission par une lettre envoyée le 22 août 1922 au ministre des Finances[11]. Le 4 janvier 1923, le Haut-Commissaire, envoya une note au ministère des Affaires étrangères, lui confirmant son intention de soutenir la Banque de Syrie en tant que banque d'émission des États du Levant[12]. Les pourparlers s'engagèrent au début de l'année 1923 entre la Banque, la France et les États du Levant. Le 23 juillet 1923, un projet de convention fut remis au ministre des Finances[13]. Au cours des négociations, les États du Levant obtinrent de la Banque plusieurs modifications qui leurs étaient favorables[14]. La convention étant prête au début de 1924, fut signée le 23 janvier 1924, entre les trois parties pour une période de 15 ans[15]. La Banque prit la dénomination « Banque de Syrie et du Grand Liban ». Elle venait d'obtenir le privilège exclusif d'émettre le nouveau billet libano-syrien. La nouvelle livre était directement rattachée au franc français à raison de 20 francs par livre libano-syrienne[16].

Après la signature de la Convention, les statuts de la Banque furent approuvés par son conseil d'administration. Le siège de la Banque de Syrie et du Liban

9 – A.M.A.E., E-Levant, Correspondances diplomatiques et commerciales, 50 CPCOM/63, Lettre du ministre des Affaires étrangères au ministre des Finances, 3 octobre 1919.

10 – A.M.A.E., E-Levant, Correspondances diplomatiques et commerciales, 50 CPCOM/63, Haut-Commissaire de la République française en Syrie Commandant en Chef de l'Armée du Levant, Arrêté du 31mars 1920.

11 – A.M.A.E., E-Levant, Correspondances diplomatiques et commerciales, 50 CPCOM/331, Lettre de la Banque de Syrie au ministre des Finances, 22 août 1922.

12 – A.M.A.E., E-Levant, Correspondances diplomatiques et commerciales, 50 CPCOM/331, Lettre du Haut-Commissaire M. de Caix à Beyrouth au ministère des Affaires Etrangères, 4 janvier 1923.

13 – A.M.A.E., E-Levant, Correspondances diplomatiques et commerciales, 50 CPCOM/331, Lettre de la Banque de Syrie au ministre des Finances, 23 juillet 1923.

14 – « Le gouvernement du Grand-Liban a soulevé la question de la séparation des patrimoines de notre service commercial et de notre service émission, dans le but d'assurer aux porteurs des billets un privilège de créancier gagistes sur leur contrevaleur », A.M.A.E., E-Levant, Correspondances diplomatiques et commerciales, 50 CPCOM/331, Lettre de la Banque de Syrie au ministre des Finances, 4 décembre 1923. Lettre du ministre des Finances au Président du Conseil ministre des Affaires étrangères, 12 décembre 1923. Lettre du Président du Conseil, ministre des Affaires étrangères au haut-Commissaire de la République Française à Beyrouth, 17 décembre 1923. Lettre du Haut-Commissaire Weygand à Beyrouth au ministère des Affaires étrangères, 2 février 1924.

15 – Convention dans, A.M.A.E., E-Levant, Correspondances diplomatiques et commerciales, 50 CPCOM/331, Convention du 23 janvier 1924.

16 – Voir l'intégralité de la Convention dans, A.M.A.E., E-Levant, Correspondances diplomatiques et commerciales, 50 CPCOM/331, Convention du 23 janvier 1924.

(BSL) fut établi à Paris. La durée de la société fut fixée à quatre-vingt-dix-neuf ans. Son capital social, porté à 25 500 000 francs, fut divisé en 51 000 actions de 500 francs chacune[17]. L'article trois des statuts expose clairement le rôle de la BSL sur le plan monétaire. Elle avait le privilège d'émettre le nouveau billet ; de faire des prêts et avances aux gouvernements syriens et libanais ; d'escompter tous les effets de commerce ; d'ouvrir des comptes portant intérêts aux personnes notoirement solvables ; de recevoir tous dépôts d'espèces de monnaies et métaux précieux ; d'ouvrir les comptes de dépôts, compte-courants et compte chèques ; d'émettre, d'acheter, de vendre et de négocier des fonds publics et bons du Trésor ; d'effectuer pour le compte des autorités l'encaissement des revenus publics et le paiement des dépenses publiques ; et de manière générale de procéder à toutes opérations de banque et de finance concernant la Syrie et le Liban[18].

Banque d'État ou banque commerciale ?

D'après l'article 14 de la Convention du 23 janvier 1924, la Banque est l'agent financier des Gouvernements du Grand Liban et de la Fédération des États de Syrie. Elle est chargée de toutes leurs opérations de crédit et de leurs mouvements de fonds[19]. En acceptant les dépôts des États Libanais et Syriens et en leur rendant divers services, la BSL accomplit le rôle d'une banque d'émissions, au vrai sens du terme. Mais d'un autre côté, et en ce qui concerne les emprunts publics, la Banque agit comme une banque purement commerciale[20]. En effet, la Banque de Syrie et du Liban est une Banque d'État quand elle le veut. Si elle ne veut pas venir à l'aide des gouvernements, elle peut poser des conditions très contraignantes pour les obliger à s'adresser à d'autres banques. Selon les statuts des banques d'émission, la Banque d'État ne peut avancer de l'argent aux États que pour leur permettre de faire face à des besoins temporaires autorisés par le budget annuel de l'État. Ces avances consenties généralement pour une durée de trois mois, doivent figurer dans la couverture sous forme de billets de banque ou des engagements à vue. Or, ni la Convention de 1924, ni les statuts[21] de la BSL n'exigent de telles conditions. La Banque peut tout

17 – Voir l'intégralité des statuts de la Banque de Syrie et du Grand Liban dans, A.M.A.E., E-Levant, Correspondances diplomatiques et commerciales, 50 CPCOM/331, Statuts de la Banque de Syrie et du Grand Liban.

18 – Article 3 des statuts de la Banque de Syrie et du Grand Liban dans, A.M.A.E., E-Levant, Correspondances diplomatiques et commerciales, 50 CPCOM/331, Statuts de la Banque de Syrie et du Grand Liban.

19 – A.M.A.E., E-Levant, Correspondances diplomatiques et commerciales, 50 CPCOM/331, Convention du 23 janvier 1924.

20 – Mohamed Thomé, *Le rôle du crédit dans le développement économique de la Syrie depuis la Première Guerre mondiale jusqu'à nos jours*, Thèse présentée à la Faculté des Sciences économiques et Sociales de l'Université de Genève, Ediciones Castilla, Madrid, 1953, p. 110.

21 – Le troisième article des statuts de la BSL, donne le pourvoir à la Banque de faire des prêts et avances aux Gouvernements Syriens et Libanais aux clauses et conditions de contrats à intervenir, A.M.A.E., E-Levant, correspondances diplomatiques et commerciales, 50 CPCOM/331, Statuts... *op. cit.*

simplement accorder des emprunts aux gouvernements à d'autres fins et sans avoir l'obligation de les faire figurer dans la couverture[22]. Ces deux points prouvent que la BSL ne remplit pas les fonctions d'une Banque d'État au sens vrai du terme. Elle a malicieusement su concilier son privilège d'émission et ses opérations bancaires purement commerciales, tout en gardant une certaine marge de liberté et de manœuvre[23]. Cette analyse mène à une conclusion claire : la BSL est une banque commerciale à qui il a été accordé le privilège de l'émission de la livre libano-syrienne.

Lors de sa création, la BSL était une banque de dépôt. En se référant à l'article 3 de ses statuts, elle avait le droit d'exercer les activités d'une simple banque commerciale. Elle pouvait pratiquer toutes les opérations de banque et de financement concernant la Syrie et le Liban, à l'exception des opérations foncières et hypothécaires proprement dit[24]. Ce constat permet de dire que la BSL souhaitait mener des activités commerciales et financières plutôt que de se contenter d'émettre des billets. En général, une banque d'émission accepte les dépôts, mais il lui est interdit de rémunérer les fonds déposés. Elle ne peut pas distribuer directement des crédits. En fait, elle devient une banque d'escompte, une sorte de banque des banques[25]. Mais contrairement à cette tendance, la BSL a accepté les dépôts, tout en versant un intérêt. En plus des encaisses des États du Levant, elle a reçu des fonds des particuliers, ceux-ci choisissant d'effectuer leurs dépôts aux guichets de la Banque, celle-ci étant à la fois la banque d'émission et la Banque des États. Cela représentait une vraie garantie pour les déposants, qui lui permit de concurrencer les autres banques, et de prendre une grande part du marché[26]. En se basant sur les chiffres de la BSL nous constatons que la somme des comptes de dépôts furent en croissance continue jusqu'en 1930, passant de 296 658 109 francs en 1924 à 434 405 478 en 1930[27]. Ces chiffres prouvent que la BSL était bien une banque de dépôt.

22 – Mohamed Thomé, *Le rôle du crédit dans le développement économique de la Syrie depuis la Première Guerre mondiale jusqu'à nos jours*, Thèse présentée à la Faculté des Sciences économiques et Sociales de l'Université de Genève, Ediciones Castilla, Madrid, 1953, p. 111.

23 – « Enfin, la Banque jouit d'une liberté absolue en ce qui concerne le choix et l'application de la politique de crédit, qui lui plaît. Les Gouvernements syrien et libanais n'ont en aucune façon le droit d'attirer l'attention de la Banque sur la nécessité d'adopter une politique générale de crédit et de monnaie en accord avec la conjoncture économique du pays », Mohamed Thomé, *Le rôle du crédit dans le développement économique de la Syrie... op.cit.*, p. 111.

24 – A.M.A.E., E-Levant, correspondances diplomatiques et commerciales, 50 CPCOM/331, Statuts de la Banque de Syrie et du Grand-Liban, article 3, alinéa 7, 8, 9, 10, 11, 12.

25 – Mohamed Thomé, *Le rôle du crédit dans le développement économique de la Syrie... op.cit.*, p. 109.

26 – *Ibidem*, p. 110. Voir aussi, Saïd B. Himadeh, *Monetary and Banking system of Syria*, American Press, Beirut, 1935, p. 150-151.

27 – BDF (Archives de la Banque de France), Assemblées Générales de la BSL 1925-1931. Les chiffres exposés sont en Francs français constant, https://france-inflation.com/calculateur_inflation.php

AVANCES ET CRÉDITS : UN AXE PRIVILÉGIÉ

Depuis sa création, la BSL a toujours mené une politique financière objective pour aider le développement économique des nouveaux États du Levant. Signalons que l'économie de ses pays était très rudimentaire et basée spécialement sur l'agriculture.

Un soutien aux travaux publics

Dans le domaine des travaux publics, la Banque a octroyé d'innombrables crédits. Durant les années 1920, la Banque consentit un crédit de 20 millions de francs à la municipalité de Beyrouth et un crédit de 12 millions à la municipalité de Damas. Ils permirent à ces deux grandes villes du Levant d'investir dans les infrastructures et l'urbanisme[28]. Les réseaux routiers et ferroviaires furent à leur tour aménagés et prolongés avec le concours de BSL. La ligne Damas-Deraa des chemins de fer du Hedjaz fut construite[29], et la route destinée à relier Alexandrette à Lattaquié par Soueidié fut ouverte sur 50 kilomètres. Celle d'Alep à Antioche a également été achevée[30], ainsi que la route de Lattaquié à Alexandrette par Antioche et la route Palestine Homs Homs et Alep en passant par la Bekaa[31]. Ce vaste programme de construction de voies carrossables, mis en œuvre avec le concours de la Banque, ouvrit aux progrès économiques de nouveaux territoires au Levant. Entre le 1er janvier 1920 et le 1er janvier 1930, la Banque accorda aux municipalités, aux banques agricoles et aux États des crédits s'élevant globalement à 10 500 000 Francs[32].

Au début des années 1930, la BSL accorda aux municipalités de Damas, de Homs et de Tripoli un crédit s'élevant à 18 600 000 Francs. Jusqu'à cette date les crédits aux municipalités avec la garantie des États du Levant s'élevaient à 39 800 000 Francs[33]. Ils étaient principalement destinés aux travaux d'assainissement et d'urbanisation des villes. En 1934, la BSL accorda à la municipalité de Tripoli un crédit, garanti par le Gouvernement libanais[34], de 3740 000 francs pour réaliser des travaux qui devaient assurer l'alimentation de la ville en eau. Le Service des Travaux Publics des États du Levant effectua un vaste programme d'entretien et de réfection des routes sur les tronçons concernés étaient : Damas-Deraa, Damas-Alep, Alep Deir-ez-Zor, Antioche-Lattaquieh, Lattaquieh-Tripoli[35]. Pendant cette décennie, plusieurs chantiers de rénovation et de création de routes furent entamés avec le concours de la BSL, dont

28 – BDF, Assemblée générale de la Banque de Syrie et du Grand Liban du 17 juin 1930.
29 – BDF, Assemblée générale de la Banque de Syrie et du Grand Liban du 21 juin 1927.
30 – BDF, Assemblée générale de la Banque de Syrie et du Grand Liban du 21 juin 1927.
31 – BDF, Assemblée générale de la Banque de Syrie et du Grand Liban du 12 juin 1928.
32 – BDF, Assemblée générale de la Banque de Syrie et du Grand Liban du 21 juin 1927.
33 – BDF, Assemblée générale de la Banque de Syrie et du Grand Liban du 9 juin 1931.
34 – BDF, Assemblée générale de la Banque de Syrie et du Grand Liban du 15 mai 1934.
35 – *Bulletin de la Banque de Syrie et du Grand Liban*, 30 juin 1932, p. 37-38.

les tronçons Lattaquieh-Tripoli, Lattaquieh-Alep, Lattaquieh-Antioche, ainsi que le tronçon syrien de la route internationale Damas-Bagdad[36].

Les emprunts publics : l'exemple de l'emprunt de 1930

Le 17 avril 1930, le Haut-Commissaire de la République française, Henri Ponsot, écrivit au ministre des Affaires étrangères français pour lui exposer la situation économique et financière des Pays du Levant. Il évoqua ainsi l'idée d'un projet d'emprunt pour ces pays dont le but était de consolider les différents secteurs économiques et d'investir dans les infrastructures. Il joignit à sa lettre une étude menée et préparée par le conseiller financier du Haut-Commissariat[37]. Le Haut-Commissaire Ponsot communiqua ces données au directeur de la BSL Monsieur Maurice Bérard[38]. L'étude prévoyait l'attribution d'un emprunt de l'ordre de 500 millions de francs aux Pays sous Mandat : les États de Syrie, la République libanaise et l'État des Alaouites[39]. Le ministère des Affaires étrangères valida de son côté le rapport du conseiller financier du Haut-Commissariat des États du Levant. Il donna sa permission pour « conclure la possibilité d'un appel efficace auprès du public sous forme d'un emprunt de l'ordre de 500 millions à 1 milliard de Francs, en vue de la réalisation d'un programme de vaste envergure se décomposant comme suit dans son premier stade [40] :

Voies ferrées	370 millions de francs
Ports	92 millions de francs
Irrigations	60 millions de francs
Téléphone, aviation et routes	67 millions de francs
Total	589 millions de francs

Ce chiffre peut être ramené à 500 millions, car les fonds détenus en réserve pour les comptes des États du Levant étaient largement excédentaires[41].

Entre temps, d'autres combinaisons furent avancées par le Haut-Commissariat et la BSL. L'une d'entre elle consistait à considérer que les fonds d'emprunt n'étaient pas destinés à une utilisation immédiate, mais bien à l'alimentation

36 – *Bulletin de la Banque de Syrie et du Grand Liban*, 30 juin 1936, p. 46-47.

37 – A.M.A.E., 50 CPCOM /548, Lettre de Monsieur Henri Ponsot Haut-Commissaire de la République Française à son Excellence Monsieur le Ministre des Affaires étrangères, 17 avril 1930.

38 – « Pour qu'il soit en mesure, le cas échéant, d'offrir aux États le concours financier que prévoit la convention du 23 janvier 1924 dans les termes suivants : La Banque sera l'agent financier des Gouvernements du Grand Liban, du Djebel druze, et de la Fédération des États de Syrie [...] pour toutes leurs opérations de crédit et leurs mouvements de fonds », A.M.A.E., 50 CPCOM/548, *Ibidem*.

39 – A.M.A.E., 50 CPCOM/548, Note au sujet du projet d'emprunt pour la mise en valeur des États sous mandat français, 7 avril 1930.

40 – A.M.A.E., 50 CPCOM/548, Note au sujet d'opérations d'emprunt en faveur de la Syrie et du Liban autorisées par le Gouvernement français, 4 novembre 1930.

41 – *Ibidem*.

des travaux au fur et à mesure de leur achèvement, et à un rythme annuel de 100 millions de francs au maximum, à valoir sur un emprunt total de 500 millions de francs[42]. L'emprunt fut initialement garanti par le Gouvernement français. Mais la crise financière mondiale du début des années 1930 allait obliger le Haut-Commissaire à concevoir une nouvelle formule. Le Gouvernement français ne fut plus appelé à donner immédiatement sa garantie à l'émission d'un tel emprunt. Il fut demandé aux établissements de crédits, et surtout à la BSL, de faire les avances nécessaires. Celles-ci furent garanties par des recettes douanières[43]. Après avoir obtenu l'accord de la BSL, le Haut-Commissaire donna son accord pour cette opération. À la fin de l'année 1930, la Banque fut chargée de la souscription de l'emprunt pour un taux de 5½ %. Le Haut-Commissaire informa par lettre le ministre des Affaires étrangères du lancement des opérations[44].

Les crédits agricoles : un appui pour l'économie levantine

Depuis sa création, la BSL a toujours mené une politique financière objective pour aider le développement économique des nouveaux États du Levant. La Banque a toujours encouragé les initiatives et les études pouvant mettre en avant les richesses du pays. C'est ainsi qu'elle a appuyé la Régie des Études hydrauliques qui passa avec les États du Levant, vers la fin des années 1920, un contrat lui permettant de déterminer les travaux à réaliser pour la meilleure utilisation des eaux, notamment en vue de l'irrigation des terres. En effet, la principale richesse du Levant était ses ressources hydrauliques[45]. Elle organisa, seule ou en collaboration avec d'autres groupements, un certain nombre de missions d'études dont certaines ont été suivies de réalisations. Ces missions ont permirent de faire mieux connaitre les ressources des Territoires du Levant. Parmi ces missions, on peut noter :

1. la Mission Carle : étude agricole des plaines du littoral (1924) ;
2. les Missions Hector Lévy (1927) et Bouscasse (1928) ; ces deux missions ont entraîné la création de la Société Industrielle des États du Levant, dont l'objet principal est d'extraire l'huile des grignons d'olive ;
3. la Mission du Commandant Pichon : études de régions paraissant se prêter à l'irrigation (1926-1929) ;
4. la Mission Dumas : études d'entrepôts pour céréales (1929) ;
5. la Mission Lallour : études sur l'amélioration à apporter sur l'élevage et le commerce des moutons (1929)[46].

42 – *Ibid.*

43 – *Ibid.*

44 – A.M.A.E., 50 CPCOM/548, Lettre du Haut-Commissaire de la République Française Henry Ponsot au ministre des Affaires étrangères, date non connue.

45 – BDF, Assemblée générale de la Banque de Syrie et du Grand Liban du 17 juin 1930.

46 – BDF, *Ibidem*.

En 1930, la Banque octroya plusieurs crédits aux Banque Agricoles, pour qu'à leur tour elles puissent venir en aide aux agriculteurs[47]. En 1932, elle apporta son soutien à la Société Industrielle du Levant, qui installa deux usines à Lattaquié et Harim en Syrie pour traiter les grignons d'olives[48]. En 1932, la Banque accorda des crédits pour un montant de 5 millions de francs aux populations agricoles de la région du nord de la Syrie à la demande du Gouvernement de Damas. Ils avaient pour but d'améliorer les technologies agricoles, afin que les agriculteurs exploitent au mieux leurs terrains[49].

En 1934, les services hydrauliques soutinrent activement les travaux préparatoires nécessités par l'élévation du barrage du lac de Homs, celle-ci devant permettre l'irrigation, sur plus de 14 000 hectares, de la vaste plaine qui s'étend au nord de ce lac[50]. La même année, les avances de la BSL permirent d'aider les industries de transformations des produis agricoles, tels que la savonnerie, l'huilerie, la filature et le tissage du coton et de la soie. L'export des agrumes bénéficia pendant cette année-là de plusieurs crédits de la part de la Banque[51]. En 1936, la Banque appuya la création d'entreprises de transformation agricole : la Société syrienne de filature et de tissage à Alep, et la société libanaise La Lainière Nationale à Beyrouth[52]. En 1939, la Société de Crédit Agricole et Industriel du Liban fut constituée sous l'impulsion de la BSL. Son rôle principal était de soutenir les agriculteurs et les artisans afin de leur permettre de développer leurs activités[53]. Cette société sut développer sensiblement ses activités au Liban malgré le déclenchement des hostilités. Son rôle ascendant allait lui permettra d'être un acteur majeur dans la vie économique, surtout agricole et industrielle[54].

INVESTISSEMENT ET PARTICIPATION FINANCIÈRE : DES OPÉRATIONS TIMIDES

En plus d'être une banque commerciale, la BSL a participé aussi à la création de quelques sociétés opérantes au Levant.

47 – BDF, Assemblée générale de la Banque de Syrie et du Grand Liban du 9 juin 1931.
48 – BDF, Assemblée générale de la Banque de Syrie et du Grand Liban du 17 mai 1932.
49 – BDF, Assemblée générale de la Banque de Syrie et du Grand Liban du 16 mai 1933.
50 – BDF, Assemblée générale de la Banque de Syrie et du Grand Liban du 21 mai 1935.
51 – *Ibidem*.
52 – BDF, Assemblée générale de la Banque de Syrie et du Grand Liban du 29 juin 1937.
53 – BDF, Assemblée générale de la Banque de Syrie et du Grand Liban du 16 avril 1940.
54 – BDF, Assemblée générale de la Banque de Syrie et du Grand Liban du 25 mars 1941.

Le port d'Alexandrette : un espoir brisé

En octobre 1919, la SFE[55] et la « Société des Quais, Docks et Entrepôts de Constantinople » aboutirent à un accord pour mener des études pour la création d'un port dans la baie d'Alexandrette[56]. Au début de l'année 1921, la SFE commença à former un consortium comprenant des établissements financiers et industriels français pour acquérir la concession du Port d'Alexandrette[57]. Le 16 Mars 1921, la SFE et ses collaborateurs informèrent le ministre des Affaires étrangères de la formation du Consortium, qui comprenait la Compagnie Générale des Colonies (fondée par les principales banques françaises à l'initiative de la Banque de Paris et des Pays-Bas, ainsi que le CFAT[58] et la BSL), la SFE (constituée par la Maison Fougerolle Père, la Société Générale d'Entreprises)[59], la Société des Grands Travaux de Marseille[60] et la Banque française pour le Commerce et l'Industrie, et la Société des Quais, Docks et Entrepôts de Constantinople[61]. Au même moment, le Consortium créa la Société d'Études pour le Port d'Alexandrette[62]. Le 13 novembre 1921, une convention fut signée entre le Haut-Commissaire et le Consortium pour l'exécution du Port d'Alexandrette[63]. À la fin de 1924, le Consortium informa le Gouvernement français de son intention de se transformer en société anonyme[64].

Le 15 avril 1926, le ministre des Affaires étrangères donna au Consortium son autorisation pour qu'il se transforme en société anonyme[65]. Les statuts de la société française furent alors rédigés. Les signataires étaient : la Compagnie Générale des Colonies, le CFAT, la BSL et la SFE[66], la Société ayant notamment comme but de construire, d'entretenir et d'exploiter le Port d'Alexandrette[67]. La Société prit la dénomination « Société du Port d'Alexandrette »[68]. Son siège fut établi à Alexandrette, avec possibilité de le transférer en tout autre endroit de la même ville par simple décision du Conseil d'administration, et partout ailleurs en vertu d'une décision de l'Assemblée générale[69]. La durée de la Société

55 – Société Française d'Entreprises.

56 – BNP/ET2433 (Archives de la BNP), Note de la Société Française d'Entreprises sur le Port d'Alexandrette, 24 décembre 1920.

57 – BNP/ET2436, Lettre de la Compagnie Générale des Colonies à Monsieur le Président du Conseil, ministre des Affaires étrangères, 16 mars 1921.

58 – Crédit Foncier d'Algérie et de Tunisie.

59 – Barjot Dominique, *Travaux publics de France, un siècle d'entrepreneurs et d'entreprises... op. cit.* p. 117-118.

60 – *Ibidem*, p. 117-118.

61 – BNP/ET2436, Lettre de la Compagnie Générale des Colonies à Monsieur le Président du Conseil, ministre des Affaires étrangères, 16 Mars 1921.

62 – BNP/ET2433, Convention du 23 mars 1921 entre les membres fondateurs de la Société d'Études du Port d'Alexandrette.

63 – BNP/ET2436, Convention du 13 novembre 1921, signée entre le Haut-Commissaire et la Société d'Études du Port d'Alexandrette.

64 – A.M.A.E., 50 CPCOM /357, Lettre du Haut-Commissaire de la République française en Syrie et au Liban au ministre des Affaires étrangères, 26 décembre 1924.

65 – A.M.A.E., 50 CPCOM /357, Lettre du ministre des Affaires étrangères à la SFE, 15 avril 1926.

66 – BNP/ET2434, Statuts de la Société Anonyme du Port d'Alexandrette, 21 octobre 1928.

67 – BNP/ET2434, *Ibidem*.

68 – BNP/ET2434, article 3 des Statuts de la Société Anonyme du Port d'Alexandrette, 21 octobre 1928.

69 – BNP/ET2434, article 4 des Statuts de la Société Anonyme du Port d'Alexandrette, 21 octobre 1928.

était de soixante-quinze ans[70]. Le capital social fut fixé à 400 000 francs et divisé en 4 000 actions de 100 franc-or chacune entièrement libérées[71]. Elles étaient réparties comme suit : la Compagnie Générale des Colonies 1382 actions, le CFAT 468 actions, la BSL 468 actions, la SFE 1409 actions, le reste étant détenu par des personnes physiques qui étaient en majorité membres du Conseil d'Administrations[72]. La Société ne cessa de se développer et de s'accroître au fil des années ; mais, l'affaire du Sandjak d'Alexandrette à la fin des années 1930 contraignit les actionnaires à la liquider et à la céder à l'État turc en juillet 1939[73].

La Société des Ciments du Levant : une affaire solide

Au début des années 1920, le Haut-Commissaire prit contact avec la Maison Candelot, afin de prospecter les terrains du Levant dans le but d'installer une usine à ciment. Pour mieux affiner la démarche et les recherches, la Maison Candelot constitua un syndicat d'études, formé par la Société Candelot et la BSL et d'autres maisons et banques parisiennes et lyonnaises[74]. Après-avoir mené des prospections, il commença à chercher un financement pour le futur investissement, et trouva dans la BSL un allié financier naturel. Au cours du mois de mars de l'année 1928, des discussions furent engagées entre la Société Candelot et la BSL, pour avancer dans la finalisation de l'affaire des ciments du Levant. Pour la Société Candelot, le site de Ras Chekka (localité sur la côte au nord du Liban) était le mieux placé, et le projet devait être étudié d'une façon très sérieuse[75]. Pour parvenir à concrétiser l'affaire du ciment au Levant, la Société Candelot œuvra pour la création d'un syndicat ayant comme but d'installer et d'exploiter une future usine de ciment au Liban[76].

En février 1928, le Syndicat des Ciments du Levant fut formé avec un capital s'élevant à 12 000 000 de francs, réparti de la manière suivante : 4 500 000 pour la Compagnie Générale des Colonies, 4 500 000 pour la BSL, 2 000 000 au groupe des Ciments de Mantes et 1 000 000 pour la Société des Tramways de Beyrouth[77]. Mais, les Français n'étaient pas les seuls à avoir l'idée de constituer une usine de ciment au Levant. À la même époque, un groupe d'hommes d'affaires libano-syriens formèrent la société libano-syrienne du ciment. En décembre 1928, le Syndicat prit contact avec la Société libano-syrienne du ciment. Il lui proposa de prendre part dans la nouvelle Société des Ciments du

70 – BNP/ET2434, article 5 des Statuts de la Société Anonyme du Port d'Alexandrette, 21 octobre 1928.

71 – BNP/ET2434, article 7 des Statuts de la Société Anonyme du Port d'Alexandrette, 21 octobre 1928.

72 – BNP/ET2434, article 6 des Statuts de la Société Anonyme du Port d'Alexandrette, 21 octobre 1928.

73 – BNP/ET2436, Procès-verbal de la Réunions du Conseil d'Administration du 21 septembre 1939.

74 – La création de ce syndicat sera étudiée d'une façon bien détaillée dans la deuxième partie du deuxième sous-chapitre.

75 – BNP/PTC 40827, Lettre de la Société Candlot au Président la BSL Maurice Bérard, 12 mars 1928.

76 – BNP/PTC 40827, Lettre de la Société Candelot à Monsieur Atthalin directeur de la Banque de Paris et des Pays-Bas, 6 juin 1928.

77 – BNP/PTC 40827, *Ibidem*.

Levant[78]. La Société vit le jour le 22 février 1929, avec un capital de 20 millions de francs, divisible en 40 000 actions de 500 francs chacune. Elles étaient réparties comme suit : 10 000 réservées aux groupes libano-syriens, 1 000 pour les Tramways de Beyrouth, 15 667 pour le Syndicat des Ciments du Levant (la Compagnie Générale des Colonies, la BSL, Ciments de Mantes et Candelot), et 13 333 à la Société Pavin de Lafarge. Cette dernière intégra le groupe à la suite du souhait de la Compagnie Générale des Colonies. Son expérience en la matière fut bien bénéfique pour la réussite de la Société[79]. La nouvelle et unique industrie du ciment put démarrer son activité avec une situation exceptionnelle par rapport à l'ensemble de conditions géographiques et géologiques au Levant[80].

Radio Orient : une société à grand avenir

Dès le début du Mandat, la France eut l'idée de doter les pays sous son mandat d'une station radio. Le Haut-Commissariat prit contact avec la Compagnie Générale de Télégraphie afin de finaliser ce projet. Une fois les négociations finies, une convention fut signée entre le Haut-Commissaire de la République Française en Syrie et au Liban et ladite compagnie le 1er décembre 1921[81]. Celle-ci autorisait la construction et l'exploitation d'une station d'émission à Khladé (ville située au sud de Beyrouth)[82]. À la suite de la signature de la convention, le premier objectif fut d'injecter un capital bien conséquent dans la future société. La Compagnie se tourna vers la Banque de Paris et des Pays-Bas, et vers son actionnaire principal la Société Günzburg et Compagnie, qui accepta de prendre une part essentielle dans la constitution de la nouvelle société Radio Orient[83]. Elle négocia aussi avec un groupe d'industriels et financiers chapeauté par la BSL. Elle souhaitait que ce groupement prenne une part dans la constitution de la future Société[84].

En août 1922, la Compagnie constitua un syndicat géré par la Banque de Paris et des Pays-Bas et la Société Günzburg. L'objet du Syndicat était de garantir la souscription des éventuelles actions constituant le capital social de la future Société Anonyme de Radio Orient[85]. Le 4 septembre 1922, les souscriptions des actions furent ouvertes. Elles furent reçues à la Banque de Paris et des

78 – A.M.A.E., 50 CPCOM/344, note sur la constitution de la Société des Ciments du Levant, 10 décembre 1928.

79 – BNP/PTC 40827, note sur la constitution de la Société des Ciments du Levant, 22 février 1929.

80 – BNP/PTC 40827, *Ibidem*.

81 – BNP/ET 2521, Convention du 1 décembre 1921 entre le Haut-Commissaire et la Société Générale de Télégraphie.

82 – BNP/ET 2521, Alinéa 1 de l'article 2 de la Convention du 1 décembre 1921 entre le Haut-Commissaire et la Société Générale de Télégraphie.

83 – BNP/19AH24, diverses correspondances entre la Banque de Paris et des Pays-Bas, La Société Gunzberg d'un côté et la Compagnie Générale de Télégraphie sans fil de l'autre, juin-septembre 1922.

84 – BNP/ET 2521, Notice sur la répartition des actions de la Société anonyme Radio Orient, publiée en date du 4 septembre 1922.

85 – BNP/19AH24, Note sur la constitution du syndicat « Actions Radio Orient », 6 décembre 1923.

Pays-Bas, chez Messieurs Jacques Günzburg et Compagnie, aux agences de la Banque de Syrie au Levant et de la Banque Française de Syrie au Levant et en Cilicie[86]. La société Radio Orient fut constituée le 6 décembre 1922[87]. Son capital social fut fixé à 8 000 000 francs, divisible en 4 000 actions « A » et 12 000 actions « B », la valeur d'une action étant de 500 francs. Les actions « A » furent souscrites par la Compagnie Générale de Télégraphie[88]. Les actions « B » furent réparties entre le reste des actionnaires, dont 3 800 pour la Compagnie Générale de Télégraphie, 1500 pour la Banque de Paris et des Pays-Bas, 1000 actions pour la Compagnie Générale des Colonies, et 800 pour la BSL entre autres[89]. Une fois constituée, la Société commença à fonctionner. À l'aube de l'année 1923, Radio Orient était en liaison avec Paris, Rome, Vienne, Varsovie et Téhéran[90].

La BSL fut, tout au long de la période du Mandat français, un acteur principal de la vie économique et financière du Levant. Son privilège d'émission ne l'a pas empêchée d'exercer son rôle de banque commerciale. Sa politique, principalement orientée d'une part vers le crédit et d'autre part vers le dépôt, fut d'un grand soutien pour les divers secteurs économiques du Levant, surtout l'agriculture et l'industrie agricole. D'autre part, elle sut être l'agent financier des États du Levant, au vrai sens du terme, en tenant leurs comptes et en leur attribuant les avances nécessaires pour le fonctionnement de leurs administrations. Du côté de ses investissements, son rôle fut mineur. Sa structure financière de banque commerciale ne lui permettait pas de s'investir massivement dans des affaires sur le long terme, comme le Port d'Alexandrette, les Ciments du Levant et Radio Orient. Ses participations financières restèrent néanmoins timides. La BSL continua d'être un acteur incontournable de l'économie levantine tout au long de son existence, et ce jusqu'à l'arrêt de ses activités au Liban en 1964[91].

86 – BNP/ET 2521, Notice sur la répartition des actions de la Société anonyme Radio Orient, publiée en date du 4 septembre 1922.

87 – BNP/ET 2521, Article 1 des statuts de la Société Anonyme de Radio Orient.

88 – BNP/ET 2521, Notice sur la répartition des actions de la Société anonyme Radio Orient, publiée en date du 4 septembre 1922.

89 – BNP/ET 2521, Note sur la souscription des actions « B » de la Société Radio Orient, date non-mentionnée sur le document.

90 – « Le journal des finances, 30 novembre 1928 », dans entreprises-coloniales.fr/Proche-Orient/Radio-Orient.pdf.

91 – La BSL cède son activité commerciale à une société de droit libanais la « Société Nouvelle de la Banque de Syrie et du Liban », BDF, 001200601/29, Lettre de la BSL à Monsieur Pierre Vergnes Directeur du service des Banques et des Établissements financiers à la Banque de France, 11 janvier 1967.

Far from the Light of Day: BANKRUPT PARISIAN MINOR BANKS AND PETTY BANKERS FROM 1882 TO 1911

Samir Saul
Professeur d'histoire à l'université de Montréal

Next to monumental commercial deposit banks like the Crédit lyonnais or the Société générale, and dominant investment banks like the Banque de Paris et des Pays-Bas, the Parisian financial world teemed with minute long-forgotten players. A thick underbrush surrounded the towering trees and thrived under their shadow.

Most members of the financial subculture were undercapitalized and bereft of professional competence. Launched by one or, at most, a handful of individuals, some seeking an outlet from their failing businesses, others with shady pasts, they were a motley collection of operators, delving in various lines of activity, from speculation to underwriting and real estate. Many were no more than fly-by-night outfits and not a few amounted to thinly disguised frauds.

The mortality rate in this population was high; anniversaries were rarely numerous. The list of Parisian small banks gone to the wall from 1882 to 1911 is long. This article focuses on 30 years of bank failures, starting with the crisis of 1882 and covering return to economic growth, as well as changes to legislation. Part of the *minutes* of the Tribunal de Commerce de la Seine,[1]

1 – Deposited at the Archives départementales de la Seine, now at the Archives de Paris.

thousands of bankruptcy files are extant which provide a wealth of information about these lesser companies, their history, the cause of their fall and their final balance sheet. Some 500 files were consulted[2] and supplemented by 39 company information dossiers from the archives of the Chambre syndicale de la Compagnie des agents de change.

Bankruptcy records can be approached from many angles, according to the objective of given investigations and the *problématiques* posed. Approaches to the study of companies going under can be macroeconomic, investigating the general context and business cycles,[3] or microeconomic, inquiring into individual businesses.[4] This article belongs to the second category. It is an empirically conducted case-based examination of dozens of banks and bankers wound up in Paris over 30 years. It will highlight the issue of the availability of information or lack thereof to contemporaries, especially about the background of bankers and the operations of banks. Final balance sheets - usually trifling amounts - inventories, liquidation proceedings, lists of creditors, agreements with creditors and distributions of dividends will not come within the purview of the article.

2 – Series $D^{10}U^3$ (Registres d'inscription des faillites) $D^{11}U^3$ (Dossiers de faillites), $D^{13}U^3$ (Registres d'inscription des liquidations judiciaires), $D^{14}U^3$ (Dossiers de liquidations judiciaires).

3 – Luc Marco, *La montée des faillites en France, XIXe-XXe siècles*, Paris, L'Harmattan, 1989 ; Luc Marco, « Faillites et crises économiques en France au XIXe siècle », *Annales ESC*, 44/2, 1989, p. 355-378 ; Philippe Jobert et Jean-Claude Chevailler, « La démographie des entreprises en France au XIXe siècle. Quelques pistes », *Histoire, économie et société*, n° 2, 1986, p. 233-264.

4 – Jean Bouvier, *Le krach de l'Union générale (1878-1885)*, Paris, PUF, 1960 ; Alain Leménorel, « La banque et la province : la faillite du Comptoir d'escompte de Bayeux (1853-1869) », *Revue historique*, n° 280, 1988, p. 469-492.

ABSTRACT

Next to large commercial and investment banks, the Parisian financial world teemed with small long-forgotten players. Most members of this financial subculture were arguably not strictly banks. Launched by one or a few operators, some escaping a failing business, others with shady pasts, they were a mixed collection, delving in various lines of activity, from underwriting to speculation and real estate. Many were no more than fly-by-night outfits or thinly disguised frauds. Bankruptcy files of the Tribunal de Commerce de la Seine provide a wealth of information about these lesser companies, their history, the cause of their downfall. Some 500 were consulted. This article surveys the operations of these banks and considers the meaning of their proliferation.

RÉSUMÉ

À l'ombre des grands établissements bancaires, l'univers de la finance parisienne grouille de petites banques depuis longtemps oubliées. La plupart des membres de cette sous-culture n'auraient pas qualité de banques au sens strict. Lancées par un ou quelques opérateurs, certains ayant fait de mauvaises affaires, d'autres étant lestés d'un passé trouble, leur champ d'action était divers, de l'émission à la spéculation et l'immobilier. Nombre d'entre elles étaient véreuses, voire frauduleuses. Les dossiers de faillite du Tribunal de commerce de la Seine procurent une riche information sur ces sociétés de deuxième ordre, leur histoire et la cause de leur chute. Quelque 500 dossiers ont été compulsés. L'article relève les opérations de ces banques et dégage le sens de leur prolifération.

JEL Classification : **G, K, N**
Key words : **banks, bankers, bankruptcies, speculation, gambling, stock market, Paris 1882-1911**
Mots clés : **banques, banquiers, faillites, spéculation, jeu Bourse, Paris 1882-1911**

LEGAL FRAMEWORK AND STATISTICS

The jurisprudence on bankruptcy law was subject to the Napoleonic *Code de commerce* of 1807. Traditionally, bankruptcy was associated with personal infamy or ignominy, even moral turpitude, and entailed prison sentences (*contrainte par corps* was ended in 1867). The law of 28 May 1838 facilitated the conclusion of *concordats*, arrangements setting conditions by which creditors were to recover what was owed to them. In the wake of the depression of 1882, the law came to be considered too harsh on the many small merchants and shopkeepers fallen on bad times even as they were in good faith and had committed no fault.

Its replacement, the legislation of 4 March 1889, distinguished between the dishonest debtors who were guilty of fraud or incompetent management, and the unlucky ones who faced a liquidity problem or became insolvent as a result of a stagnant economy or of other unfortunate circumstances. Penal and civic sanctions were maintained against the first group, but the second was spared by the institution of a new procedure, the *liquidation judiciaire* (winding up a business subject to supervision).

Any creditor could oppose the granting of a *liquidation judiciaire*. Otherwise, beneficiaries were given a chance to rehabilitate themselves professionally and to make a fresh start by entering into a *concordat* with their creditors and perpetuate their concern under the supervision of a liquidator assigned by the commercial court. Failing a *liquidation judiciaire*, the *masse des créanciers* would enter into a *union* and impose bankruptcy (*faillite*) or forced liquidation under the supervision of a trustee in bankruptcy (*syndic de faillite*).

The *faillis* were commercially sanctioned by the loss of their businesses, while the *banqueroutiers*, considered law-breakers, were also shorn of their political rights and faced legal punishment, including arrest. *Banqueroute* was a responsibility of penal courts. The law of 1889 was applied until the promulgation of the decree of 20 May 1955.[5]

Banks accounted for a tiny proportion of total *liquidations judiciaires* and *faillites* in the Seine department and even more markedly so in France as a whole.[6] The breakdown in the Paris area shows one half to be individuals, one quarter partnerships, one quarter joint-stock companies.

5 – René Ithurbide, *Histoire critique de la faillite*, Paris, LGDJ, 1973 ; Daniel Desurvire, *Histoire de la banqueroute et faillite contemporaine*, Paris, L'Harmattan, 1993 ; *L'Économiste français*, 2 juillet 1887, 9 juillet 1887, 9 mars 1889, 13 février 1892 ; *Le Globe*, 7 avril 1882 ; Pierre-Cyril Hautcœur and Nadine Levratto, «Bankruptcy law and practice in 19th century France», Paris School of Economics, WP 2007-29, 2007.

6 – *Annuaire statistique de la France*.

TAB 1 **WORKING DATABASE OF BANKRUPTCIES IN THE SEINE DEPARTMENT (1882-1911)**[7]
(NUMBER OF FAILLITES AND BANQUEROUTES)

Individuals	**Individuals Partnerships** (commandites)	**Joint-stock companies** (sociétés anonymes)	**Total**
247	118	120	485

BANKING ACTIVITY

Banking was unregulated. Anyone could set up and start business. No registration or notification was necessary. The public may or may not have known the past history or the occupational track record of bankers. Despite high-sounding names proclaiming service to industry, commerce or the public, most of the small banks and bankers that went bankrupt were, in fact, exclusively operators on stocks and bonds. Even those referring to deposits in their titles were not deposit banks. The vast majority of the banks and bankers were entrusted with cash to employ on the stock market and did so for speculative purposes on second or third rate securities, or on no securities at all, an illicit activity. Some boasted of putting stock market gambling within the reach of all or, in other words "democratizing" speculation.

These banks and bankers could not trade on the Bourse, the official stock market. By virtue of article 76 of the *Code du commerce*, this activity was a monopoly of stockbrokers or *agents de change*, an accredited limited entry profession, watched over by its corporation. Exercising the functions of a stockbroker without being one was illegal (*marronnage*). At best, banks and bankers operated alongside the *coulissiers*, tolerated "behind the scenes" brokers of unlisted (*non cotées*) lower-rank securities, and the *pieds humides*, "damp feet" standing outside the Bourse to deal in the lowest quality paper. Clients turned over to them cash or securities for use in stock market operations, in return for earnings proportionate to their contribution. The pooling aspect of their activity resembled mutual funds.

At worst, they made no transactions and engaged in what was variously considered a borderline pursuit or a downright swindle called *contrepartie*, that is own-account trading. Rather than acting as representatives (*mandataires*) or intermediaries between their clients and the stock market, they purchased nothing even as they pocketed brokerage fees and commissions, while forward (à *terme*) and short (à *découvert*) selling securities they had not acquired. Assets were fictitious, with liquidities tied up in speculation. It all amounted to non-existent operations or paper transactions, not necessarily with book entries, as some did not keep accounting ledgers. Of course, no securities were delivered to clients; indeed, their call to take possession of their property usually signalled that the game was up, given that the bank

7 – Tribunal de Commerce de la Seine, Series $D^{11}U^{3}$.

lacked the means to buy the requested securities on the market. Many "banks" were no more than gambling houses or bucket shops for own-account trading (*maisons de contrepartie*).[8]

A vivid picture of the workings of one such outfit emerges in the report of the preliminary judicial investigation in the case of the Comptoir des valeurs in 1901. Customers gathered on the premises of the shop as trading occurred in the Bourse. They monitored movement of prices on boards and placed orders to forward buy or sell as clerks went back and forth from Comptoir to Bourse. Thorough accounting was generated and abundant records of transactions were kept. The Comptoir accepted all orders and always made a profit on purchases and on sales, because the whole affair was a charade and a con job. Transactions were with none other than itself and, since it knew exactly each customer's positions, it manipulated prices in such a way as to have them lose on all operations. Profits originated from fleecing clients, with Bourse quotations providing a lure and a smokescreen. Strangely, the author of the report did not consider that fraud or breach of trust could be attested but he pointedly observed that the clientele was made up of small-time speculators, vulnerable to rumours and prone to panic, "uniting in themselves all requisite qualities for losing money at the Bourse".[9]

Combined with the absence of interest in or dearth of adequate information, the gullibility and the proclivity to gamble and speculate on the part of people of relatively modest means are salient features in many of the bankruptcy cases examined below. The three sections that follow will review a sample of bankruptcies, first of individuals, then of partnerships and finally of joint-stock companies. The panorama is colourful and far removed from the aura of high finance.

INDIVIDUAL BANKRUPTCIES

Honest bankers fell victim to the 1882 crisis. A "discounter" like J.-B. Chapelle went under because commercial paper he held bounced, compounding his lack of capital and dependence on credit.[10] Charles Ernest Kapps appears to have been a man of straw for financiers operating under his name. His plan to found a joint-stock company fell through, but he still helped himself to 20,000 francs in cash.[11] Charles Edmond Pasquier, Louis Henry Malin, Jules Gaston Le Rosey and G. M. Florian came to grief dealing with securities.[12] In all these

8 – Archives nationales, 65AQ A212 ; J. Tchernoff and Eugène Delhay, *Les opérations de Bourse devant la justice pénale*, Paris, Pedone, 1912.

9 – Archives de la Chambre syndicale de la Compagnie des agents de change, A212.

10 – $D^{11}U^{3}$ 1882/11701.

11 – $D^{11}U^{3}$ 1882/11842.

12 – $D^{11}U^{3}$ 1882/12319, $D^{11}U^{3}$ 1882/12451, $D^{11}U^{3}$ 1882/12762 and $D^{11}U^{3}$ 1884/16427.

cases, information about the individuals became available only in the report of the *syndic de faillite*, that is after their downfall.

Louis Joseph Carron legitimately discounted commercial paper of small merchants but he lost customers when the bank where he rediscounted cut back on its business.[13] Jean Casimir Barthélémy was a notary's clerk before taking up banking in 1882. Slow business and high miscellaneous expenses left him penniless.[14] Little is known about Albert Louis Boltz, other than that he was first a bank employee, then a moneychanger and finally an "intermediary banker" who lost heavily on forward transactions in securities, before escaping to "America".[15]

A former notary, François Auguste Maratu squandered his inheritance as well as his wife's, then became the manager a fire insurance company in the 1870s. He spent the better part of his time in sideline business dealings and was duly discharged. After declaring bankruptcy in 1881, he established the Banque de l'union nationale, a one-man operation devoted to stock exchange transactions and sale of securities, none of which were considerable or successful. He gave no account of the use he made of the cash passing through his hands and ultimately fled.[16]

Charles Bonnemant started out as a discount banker in the 1860s and prospered. He then moved on to collecting funds from his clients for use on their behalf in securities transactions. Much cash was raised and forward operations went into high gear in 1872. Bonnemant was deeply committed in bull buying when the market crashed in 1882 and left him saddled with stiff losses. Unable to honour mounting claims for reimbursement and finding himself in a precarious position, he resorted to misappropriation of some customers' funds to pay back others and to engage in more, equally infelicitous, forward operations. Bankruptcy ensued in 1885, followed by flight and a suicide letter that was not acted upon.[17]

For his part, the banker Émile Abaffour, bankrupt in 1885, was found guilty of indecent exposure (*outrage public à la pudeur*) in 1874 and 1880, and of fraud (*escroquerie*) in 1883.[18] Theft in 1866 and embezzlement and falsification of accounts (*faux en* écritures) (1877) led to convictions of Claude François Gex. Such antecedents did not prevent him from becoming a banker and moneychanger. He ended his career in bankruptcy and on the run in 1885.[19] A long-time banker, with nothing shady in his past, Jules Léopold Darnoy had a customer base of shopkeepers and readers of his newsletter *Carnet financier*. Having suffered losses in forward speculation, he concealed his dire situation by drawing from his customers' funds for use in his personal affairs. All came

13 – $D^{11}U^{3}$ 1883/13693.
14 – $D^{11}U^{3}$ 1885/18133.
15 – $D^{11}U^{3}$ 1885/17723.
16 – $D^{11}U^{3}$ 1884/14899.
17 – $D^{11}U^{3}$ 1885/17704.
18 – $D^{11}U^{3}$ 1885/18447.
19 – $D^{11}U^{3}$ 1885/18792.

to light when customers tried to reclaim their money or their securities and discovered that their banker had made a hasty getaway.[20]

Originally a jeweller, Joseph Bloch founded the Petite Bourse de Paris with the aim of putting speculation within the reach of modest investors who did not possess the minimum amounts required by *agents de change*. He also lent for two ventures that went sour, sending his customers to run for cover by withdrawing their funds.[21] The Crédit populaire bank was Henri Paul Louis Faurie's idea for instalment selling of securities with prize drawings attached (*valeurs à lots*). Subscribers entered into a contract whereby they paid a monthly amount, as low as 20 francs, and had securities delivered to them after final payment. In fact, Faurie used the money for his own purposes and could only deliver as long as there were new subscribers, an ancestor of the Ponzi scam which could not last indefinitely, leading to convictions for fraud and breach of trust.[22] Albert Deslauriers set up the Caisse parisienne in 1877 and relied on his house publications, *La causerie financière* in Paris and *Le moniteur européen des tirages* in Brussels, to attract customers. Losing heavily on forward selling when Rio Tinto shares soared, he dipped into his customers' funds and put their securities to his personal use.[23] As director of the Comptoir national de l'épargne, Nestor Joseph Auvray, a former cashier with Deslauriers, took a leaf from his former employer's book and was unable to honour customers' requests for restitution of their securities.[24] Bloch, Faurie, Deslauriers and Auvray had not been previously been guilty of wrongdoing.

F. Lechat, he was a manservant, then an employee at La Belle Jardinière, when money he inherited made him take up banking. He engaged in speculation on account of house servants who entrusted him with their earnings as well as in lending. Having committed large sums to insolvent borrowers and fallen in dire straits, he misused his clients' securities to try to stay afloat.[25] Formerly a schoolteacher, Léon Fagard became a bank employee, then a half-commission man (*remisier*) at the Bourse, before setting up on his own to work with a customer base of speculators. Interestingly, his second line of business was applying inventions and finding sponsors for inventors. He lost heavily on stocks in the wake of the debacle of the Comptoir d'escompte de Paris in 1889. He also overspent on publicity, including sums belonging to his patrons. Unable to deliver securities on demand, he faced arrest, bankruptcy and legal proceedings for breach of trust and fraud. He had no previous convictions.[26]

Pooling small sums for collective securities transactions gave rise to easy abuses, such as absence of any transactions. The manager of the Banque des rentes et valeurs mensuelles, a man called Lefèvre, ran a straightforward

20 – D^{11}U^{3} 1886/338.
21 – D^{11}U^{3} 1886/1388.
22 – D^{11}U^{3} 1887/3341.
23 – D^{11}U^{3} 1888/3477.
24 – D^{11}U^{3} 1888/4499; *Le rentier*, 27 August 1888.
25 – D^{11}U^{3} 1889/6125.
26 – D^{11}U^{3} 1890/7290.

Ponzi-type scheme. He promised monthly interest of 10% but only thanks to remittances from other contributors, whose numbers had to increase to keep the system going. He vanished in April 1891 and was condemned for breach of trust.[27] V. Macé did better; he guaranteed both capital and a 10% monthly interest. The source was the same, namely incoming contributions. Response was remarkable, the customer base growing to 12,000. Exact payment at first turned participants into propagandists. The swindle ended in flight when arrivals of new customers slowed down. He had two prior convictions for bankruptcy in 1882.[28] Another Ponzi artist, but with no previous brushes with the law, was Victor Lhotel, a half-commission man (*remisier*), who offered 4 to 5% per month.[29] Also undertaking no genuine transactions was Paul Duchâteau who traded against his clients in the own-account model (*contrepartie*).[30]

C. Jouanno promised a minimum of 5% but used depositors' cash and securities for his personal speculation. He too ended up fleeing.[31] Edmond Claire Jacques Nyssen played the same game, calling his group "Syndicat des primes" and ending this episode in flight and with a sentence of a year in jail.[32] Jean Forest, owner of *Le courrier financier*, had no blot on his past but he speculated for himself with sums handed over to him by individuals who thought they were participating in joint trading at the Bourse. Statements he produced detailed fictitious transactions.[33] With no convictions on his record, Georges Jonathan Milliaud, owner of the *Le financier national* and *Le financier quotidien*, acted no differently.[34] Joseph Max Dubreuil-Chambardel pretended to trade jointly with his customers, but conducted no operations and announced losses. His *Le bon conseil financier et État financier et industriel réunis* had 4,000 subscribers and a circulation of over 300,000. It hawked shares in companies where he was the main or the sole shareholder.[35]

As for Léonard Visseau, he diverted to his bank 60,000 francs he had collected as the liquidator of a company.[36] If Hippolyte Belloc and Gaston Hippolyte Depresle did not commit fraud, the first lost money because of poor business decisions, the second due to speculation.[37] Likewise, Jules Louis Gazeaud lost money speculating but he also withdrew securities held as collateral in another bank without paying back loans.[38] None appear to have been convicted previously. Not so for Émile Yvon Ernest Métais who falsified accounts and

27 – $D^{11}U^{3}$ 1891/8735.
28 – $D^{11}U^{3}$ 1891/8386.
29 – $D^{11}U^{3}$ 1904/11333.
30 – $D^{11}U^{3}$ 1904/12251.
31 – $D^{11}U^{3}$ 1891/8832.
32 – $D^{11}U^{3}$ 1892/10518.
33 – $D^{11}U^{3}$ 1903/9301.
34 – $D^{11}U^{3}$ 1904/10861.
35 – $D^{11}U^{3}$ 1907/15948.
36 – $D^{11}U^{3}$ 1892/10778.
37 – $D^{11}U^{3}$ 1892/10633 and $D^{11}U^{3}$ 1893/011536.
38 – $D^{11}U^{3}$ 1893/11901.

Guillaume Germain Poulalion and Alexandre Rigoulot who were convicted of breach of trust before the occurrence of their bankruptcies.[39]

Henry Thuillier, A. Van Hoecke, Nicolas Alexandre Busseuil and Charles Dault had a clean past, while G. Dahy, owner of the Petite Bourse des fonds publics, and Pierre Buret had prior convictions of bankruptcy, breach of trust and fraud.[40] Jacob Léandri had no criminal record but his Caisse d'épargne des familles was significantly described as a counter for instalment selling of securities with prize drawings attached (*maison de vente à crédit de valeurs à lots*).[41] André Charles Maché, owner of the Banque des capitalistes, and Jean Fenié, owner of the Banque centrale de Paris, had been sentenced, one for falsifying accounts, the other for fraud, but Desgranges, manager of the Comptoir de commission, Alexandre Brémond, Édouard Aubaud and Léonce Astruc had never been judged for any wrongdoing.[42] Nor had the moneychanger François Frédéric Girardin, about whom the *syndic*'s report, verging on truism, says that "he attributes his bankruptcy to losses he suffered".[43]

Pierre Jules Gilbert was condemned for fraud and, of all misdeeds, for illegal practice of pharmacy. He had established *Le messager de l'épargne* and opened branches in 11 French cities. He offered to lend to borrowers who deposited securities as collateral, but would promptly sell them whenever loans were not reimbursed on time.[44] Under the guise of creating joint-stock companies around patents for inventions, Gilles Robert de Meyral s imply purloined sums entrusted to him and was eventually on the run.[45] Louis Adolphe Ducourau, owner of the Comptoir des Ternes, did likewise; he absconded with the cash and the securities of his clients.[46] Neither had a *casier judiciaire*. Not all operators were dishonest. Omer Octave Brot fell victim to the 1907 crisis and lost money speculating personally in stocks.[47] Princeteau tried to start an automobile company but bankruptcy came early, leaving him 30,000 francs in debt.[48] Jean Paul Linck intended to issue the stock of industrial companies. His first attempt turned out not to conform to the law of 1867, forcing him to file for bankruptcy in order to avoid legal action against himself.[49]

39 – $D^{11}U^{3}$ 1894/14223, $D^{11}U^{3}$ 1894/13181 and $D^{11}U^{3}$ 1894/13953.

40 – $D^{11}U^{3}$ 1895/14340, $D^{11}U^{3}$ 1895/14377, $D^{11}U^{3}$ 1895/14484, $D^{11}U^{3}$ 1895/15385 and $D^{11}U^{3}$ 1895/15836.

41 – $D^{11}U^{3}$ 1896/16626.

42 – $D^{11}U^{3}$ 1897/17560, $D^{11}U^{3}$ 1897/18015, $D^{11}U^{3}$ 1897/17600, $D^{11}U^{3}$ 1897/18032, $D^{11}U^{3}$ 1898/3333 and $D^{11}U^{3}$ 1898/19400.

43 – $D^{11}U^{3}$ 1899/4267.

44 – $D^{11}U^{3}$ 1902/7801.

45 – $D^{11}U^{3}$ 1903/9245.

46 – $D^{11}U^{3}$ 1903/10430.

47 – $D^{11}U^{3}$ 1907/16547.

48 – $D^{11}U^{3}$ 1908/16806.

49 – $D^{11}U^{3}$ 1911/21528.

PARTNERSHIPS GONE BANKRUPT

The portrait for general partnerships (*sociétés en nom collectif*) and limited partnerships (*sociétés en commandite*) has much in common with that of individuals. In 1881, Hyacinthe Nicolas Aubert and Louis Édouard Logre dealt in contangoes (*reports*) and securities without their partnership being regularly constituted. It ran aground a year later. In the 1860s and 1870s, Aubert had tallied nine convictions, and Logre three, for bankruptcy, fraud, breach of trust and falsification of account.[50] Auspitzer et Cie failed when Samuel Auspitzer committed suicide, leaving 16,609 francs in assets and 889,277 francs in liabilities.[51]

In 1879, Sasportas et Cie founded La Banque populaire. Business being slow, the bank took to retailing lottery bonds (*valeurs à lots*) for clients who paid by instalment, but the securities were resold, deposited as collateral or not acquired at all. Georges Sasportas fled.[52] A. Petit, Trottemant et Cie was profitable at first thanks to a clientele of small merchants, but then engaged in speculation on too large a scale for its capital base. It opened substantial accounts for clients who became insolvent.[53] Tiggès et Cie, also known as the Banque des entrepreneurs industriels, discounted bills for contractors but lost heavily when some debtors went bankrupt. It then ventured unsuccessfully into real estate before folding.[54] Sasportas, Trottemant and Tiggès had no convictions prior to their setbacks.

A salt merchant, Victor Édouard Blée went bankrupt in 1866 and in 1876. He then worked for a banker, before setting up on his own in the form of Édouard Blée et Cie. Its house organ, *La Bourse*, gave advice to speculators on forward stock operations. In 1882 it explained his system of "Participation in joint accounts (*comptes à demi*)": clients made cash contributions; at the end of each month, profits were split 50% for the company, 50% for contributors, each being remunerated according to his stake and date of payment. With minimum contributions set at 500 francs, Blée was not addressing the lowest rung of speculators. Oddly he guaranteed that losses, should they occur, would be borne by the company. Profits were astounding, from 4% to 7% a month. Average surpassed 50% per annum for 1883-1884. In fact, the company did little trading and dividends were drawn from capital or, Ponzi-style, from new contributions.[55]

D'Espalungue et Cie got off to a bad start; capital was insufficient and claims piled up, despite the aid of the journal *Le contrôleur des opérations financières*. Driven to expedients, d'Espalungue misappropriated securities and deposits.[56]

50 – D^{11}U^{3} 1882/11966.
51 – D^{11}U^{3} 1882/12880.
52 – D^{11}U^{3} 1882/13716.
53 – D^{11}U^{3} 1884/16208.
54 – D^{11}U^{3} 1884/16637.
55 – D^{11}U^{3} 1885/17208.
56 – D^{11}U^{3} 1885/17440.

Grenier et Cie helped launch several companies but its equity of 2 million francs never existed. The partners put up nothing more than worthless receivables they held, among which claims each had on the other. Jules Silvain Albert Grenier was condemned to six years of forced labour for breach of trust and falsification of documents. Before entering into this partnership, he had broken no laws.[57]

With its *Journal des fonds publics*, Léger et Cie or Caisse générale des fonds publics opened in 1883 as a typical dispenser of lottery bonds. Participants paid by instalment, including a premium, or borrowed from the Caisse at 6% per annum, plus a monthly commission. Business was brisk and profits hefty, but by the time the company dissolved it was 1.7 million francs in debt to thousands of creditors. There had been no blemishes on the past of partners Désiré-Calixte Léger or Charles Bouttier.[58] L. Durlot et Cie or Caisse des travailleurs was in the same line of activity. It went under in 1887. Durlot had been condemned for infringement of the law on lotteries.[59] Via Berry et Cie, then the Banque des familles, Pierre Paul Berry also retailed lottery bonds. With monthly intalments ranging from 5 to 20 francs, subscription was within the means of modest budgets. But Berry used deposits to discount commercial paper and the merchants he endorsed were insolvent. One of them, Hugo Lœwy, had gone bankrupt four times in the past. Lœwy became a partner, even the *de facto* manager, and duly made off with available cash. Berry had no criminal history.[60]

In Chatelain et Cie or Société mobilière de Paris, aided by *L'éclaireur financier*, the baron Julien Chatelain was a front man for Jacques Bovitz Meyer, a speculator deep in debt. Operations on securities, contangoes and investment in companies were the main activities. He misjudged on several forward transactions and rumours spread about his personal situation. With claims mounting, he left the country, was arrested and brought back. Failure of this bank was not considered fraudulent and Meyer had not previously been condemned for anything.[61] The partner of Froussard et Cie was unable to put up the amount promised and the company found itself from the start in desperate financial straits. Excessive discounts to its clientele and merchants with credit so poor even secondary banks would not accept their paper resulted in complaints and arrest. Froussard had no prior convictions.[62]

The position of Roux et Carruette was undermined when a few clients did not cover their shortfall following a partial collapse of the unofficial market (*coulisse*). To this loss of 34,000 francs was added another of 150,000 francs due to clients who were insolvent or acting in bad faith.[63] Moneychangers Dubois

57 – $D^{II}U^{3}$ 1887/2786.
58 – $D^{II}U^{3}$ 1887/3144.
59 – $D^{II}U^{3}$ 1887/3287.
60 – $D^{II}U^{3}$ 1888/4891.
61 – $D^{II}U^{3}$ 1888/4960.
62 – $D^{II}U^{3}$ 1889/5647.
63 – $D^{II}U^{3}$ 1889/6463.

& Noël came to grief speculating on securities and the Rente.[64] G. Banmeyer et Cie bought the Comptoir central des fonds publics and the *Gazette du rentier* for 5100 francs. Instead of conducting transactions, it traded against its own customers (*contrepartie*) but lost on forward operations. Georges Banmeyer's *casier judiciaire* was empty.[65] Banque G. Cuny et Cie was another *contrepartiste* setup.[66]

Having lost heavily speculating on the 3% Rente, Gouault & Gouault took to outright gambling, using cash and securities deposited by their customers. Neither partner had been convicted of anything.[67] Established in 1882, Glarner et Pache worked profitably for nine years on the Rente on behalf of its customers and speculated for itself. Then losses mounted, leading one partner to commit suicide, the other to run away.[68] A. Lavigne et Cie's case was straightforward: it succumbed in good faith to the insolvency of its debtors.[69] Likewise many of Philippe Brüll et Cie's customers were in a state of cessation of payments. He had no previous convictions.[70]

Charles Henry et Cie functioned normally until it proved unable to reimburse deposits. It turned out its assets consisted mostly of securities belonging to third parties or used as collateral for loans to the company. There is no mention of any previous convictions.[71] Édouard Labouret et Cie or La Caisse générale de recouvrements was a collections agency that handled millions of francs. Staff was numerous and control lax. Labouret used up capital to make loans and purchase securities. He had a prior bankruptcy in 1866.[72] Rosenberg et Cie and Émile Rosenberg personally went bust on the same day in 1898, possibly because the founder lost 13,000 francs in an issue of debentures for a railway company.[73]

Stern et Cie was dragged in the bankruptcy of partner Malaranche Dassis; its loan to him represented its sole asset.[74] The Banque industrielle et immobilière sold businesses and formed companies, but its turnover was not sufficient to keep it going.[75] L. A. Sevrin fils et Bissieu and F. S. Flérès et Cie sank their capital in loss-making speculation, while the securities transactions of G. Meunier et Co., owner of *Le guide du rentier et du spéculateur*, were fictitious. Filippe Siméoni di Flérès underwent one bankruptcy and one dissolution in the past.[76] With a record of losses in all its speculations, Maurice Gallet et Cie

64 – $D^{11}U^{3}$ 1889/8925.
65 – $D^{11}U^{3}$ 1890/7572.
66 – $D^{11}U^{3}$ 1910/19689.
67 – $D^{11}U^{3}$ 1891/9318
68 – $D^{11}U^{3}$ 1892/9669.
69 – $D^{11}U^{3}$ 1890/7738.
70 – $D^{11}U^{3}$ 1893/11635.
71 – $D^{11}U^{3}$ 1894/12888 and $D^{11}U^{3}$ 1894/12889.
72 – $D^{11}U^{3}$ 1896/16646.
73 – $D^{11}U^{3}$ 1900/4973 and $D^{11}U^{3}$ 1900/4974.
74 – $D^{11}U^{3}$ 1903/9226.
75 – $D^{11}U^{3}$ 1903/10171.
76 – $D^{11}U^{3}$ 1905/12954, $D^{11}U^{3}$ 1906/15229, $D^{11}U^{3}$ 1905/13477 and $D^{11}U^{3}$ 1909/18888.

reimbursed customers by tapping into the till.[77] Voinson Durelle & Cie had a capital of 600,000 francs, but only Durelle came up with any cash, to wit, half of his share of 100,000 francs.[78] The dissolution of S. Gardais et Cie left assets of 1984 francs and liabilities of 400,000 francs, mostly non-recoverable loans.[79]

Suraud et Cie was a half-commission house that found itself in trouble because clients did not pay up. It had no capital and its accounts with unofficial brokers were overdrawn. Partner Henri de Ravez had been involved in a previous bankruptcy as the manager of a bank in Angoulême in 1905.[80] Lacombe et Cie seemed to have a single object: issuing stock of a company owning a patent relating to railways. Unable to raise more than 23,000 francs, Élie Joseph Lacombe travelled to London to seek subscribers but did not return. He had been sentenced in Marseille for fraud and breach of trust.[81]

BANKRUPT JOINT-STOCK COMPANIES

The year 1882 opened with a major collapse, that of the Union générale, a Lyon investment bank headed by Eugène Bontoux since 1878.[82] Rapid growth made the price of its stock soar in a bubble-like atmosphere. Activism, especially engagement in railroad affairs in the Balkans, upset competitors and rivals. The ongoing struggle between its Catholic-monarchist patrons and secular republicans added political overtones. Overextension and risky investments forced it to suspend payments in January 1882, sending shock waves from Lyon to Paris. The bank got mauled on the Bourse as stockholders unloaded its overpriced shares and stampeded to exit. Its failure dragged down other firms and the debacle had historic significance, signalling the end of the booming bull market of 1879-1882 and of the heady days of facile company promotions. The crash marked the return to the bust of the long-term – not quite secular, but more than cyclical – depression begun in Europe in 1873 and lasting over 20 years. With 384 million francs in liabilities, the Union générale was no minor bank but it cannot be omitted because of the impact of its fall. A monograph has already been devoted to it.[83]

With exceptions, the leading figures of the following banks had no stains on their background. L'Union provinciale lasted eight months.[84] Capital of the Comptoir financier et industriel increased five times, from 600,000 (1876) to 16 million francs (1882). It owned the *Journal des capitalistes* and opened no less than 137 branches throughout France. Runaway spending apparently caused

77 – D[11]U[3] 1907/16164.
78 – D[11]U[3] 1908/16581.
79 – D[11]U[3] 1908/16670.
80 – D[11]U[3] 1908/17232.
81 – D[11]U[3] 1909/18564.
82 – D[11]U[3] 1882/11445.
83 – Bouvier.
84 – D[11]U[3] 1883/13161.

some directors to resign and sealed its fate.[85] As its name and its publicity indicated, the Banque industrielle de France, capital 5 millions francs, eschewed the stock market and aimed to aid industry. It did not fare well, folding within a year.[86] The Banque générale des intérêts français had a capital of 2 million francs. It spent much of it opening a branch in Lyon, probably drawn by a hot market. All its operations resulted in losses and it was dissolved in its third year.[87] In 1880, the banker Gérin and the Caisse centrale des actionnaires (in liquidation) formed the Banque générale d'arbitrage et de crédit, its capital set at 2 million francs. But companies it patronized never got off the ground. In 1882, it merged with the Banque centrale de crédit, in no better shape, and raised its capital to 8 millions francs. Six months later it went out of business.[88] The Banque centrale de Paris, created in 1881, had a capital of 3.5 million francs but, in fact, it drew only 500,000 francs. Seeking cash, it merged with the Banque des départements. Expenses escalated as it opened branches and dissolution ensued in 1883.[89] Nothing but losses stemmed from the activities of the Banque du Nord but fraud was not involved.[90]

The Crédit de France was launched in 1875 with a paltry capital of 500,000 francs, all theoretical because no cash was collected. In fact, there was no capital. The first increase in 1877 was left to two directors and each put up worthless commercial paper to pay for his shares. When the price went up, they sold stock that had cost them nothing. By the sixth increase in 1881, capital stood at 75 million francs. The market crash of 1882 wiped out whatever value the portfolio of securities had, and liquidation of the bank followed.[91]

Concealed behind a relative of his, Édouard Le Pelletier was the moving spirit in the Crédit de France and the Crédit de Paris. He stayed in the background because of past criminal convictions (*correctionnelle*). The Crédit de Paris was his device for personal speculation. Its starting capital in May 1881 was 2.5 million francs. By December 1881, it amounted to 100 million. Forward operations of the Crédit de Paris were almost exclusively on Crédit de France stock, meaning that assets of the first were as devoid of value as those of the second. Both came down with the crash of 1882. But Le Pelletier was not done. In 1883, he merged the Crédit de Paris with third creation of his, the Banque de dépôts et de crédits, then with a fourth, the Banque romaine. The Tribunal de commerce annulled one and the other. The following year, a declaration of bankruptcy terminated the tangled adventure.[92]

The Banque nationale started out in 1876 with a capital of 4 millions francs as the owner of financial journals publicizing stock issues in return for a cut

85 – D¹¹U³ 1883/13272; Compagnie des agents de change, case 91.
86 – D¹¹U³ 1883/14248.
87 – D¹¹U³ 1883/13581.
88 – D¹¹U³ 1883/13671; *Le rentier*, 27 décembre 1888.
89 – D¹¹U³ 1883/13715; *Le rentier*, 27 juillet 1888.
90 – D¹¹U³ 1883/14631.
91 – D¹¹U³ 1884/14984; Compagnie des agents de change, case 80.
92 – D¹¹U³ 1884/14985.

of the profits. Although it prospered, it decided to become itself a subscriber and raised its capital to 30 million francs in July 1879. A split occurred in the board of directors and some members withdrew to form the Société nouvelle de banque et de crédit in November 1879. In 1881, the Banque nationale opened expensive branches in the country and the number soon reached 50. Activity ceased to be profitable and claims piled up.[93] There did not appear to be policy differences between the two banks. The Société nouvelle had 16 branches and was also wound up in 1884. Both banks were caught off guard by the 1882 crisis.[94]

The Société anonyme du crédit maritime de France transferred to the Société nouvelle what little it raised in an unsuccessful issue of shares for 25 million francs in 1879, probably as collateral for loans that never came, then of lottery bonds in 1881. The fate of each bank was tied up with the other's; the Société nouvelle was impaired by the failed issues and its fall brought down the Crédit maritime. The intended lending on mortgaged ships by the maritime bank never materialized.[95]

Alfred Pierre turned his personal bank into a joint-stock company with a capital of only 200,000 francs. In the process, no more than 12,500 francs were paid in cash and quickly absorbed in general expenses. The Banque centrale de la rue Laffitte lived three months.[96] The Société générale d'escompte, capital 1 million francs, sank in tandem with correspondents whose commercial paper it discounted.[97] Clientele of the Banque d'épargne et de crédit, capital 5 million francs, was insolvent and its portfolio contained overvalued securities.[98] The 2 million capital of the Banque de Rhône et Loire was subscribed by insolvent front men for politician-businessman Charles Savary. It led a precarious existence for one year and only thanks to advances from its concealed sponsor.[99] The Banque de la finance française, capital 1.8 million francs, owned *La finance française* and *Journal des capitalistes*. It bought and sold securities for its clients in operations the *syndic* described as gambling. It lasted four months.[100]

Marius Saunier and Richard Kœnig, two wheeler-dealers from Lyon, were behind the Crédit provincial, launched in April 1880 with a capital 2.5 million francs. It opened branches in 11 cities. *Le portefeuille du capitaliste* sang praises to various securities to drive up prices. Massive publicity expanded business from 1.2 to 67 million francs in six months. By December 1881, capital was at 37.5 million francs. Directors speculated on the bank's shares, a situation congruent with the fact that speculation was a staple bank activity. All came

93 – D[11]U[3] 1884/15285; Compagnie des agents de change, case 71; *La semaine financière*, 15 avril 1882; *Le capitaliste*, 29 mars 1883.
94 – D[11]U[3] 1884/15474; Compagnie des agents de change, case 100.
95 – D[11]U[3] 1885/17520.
96 – D[11]U[3] 1884/15628.
97 – D[11]U[3] 1884/15740.
98 – D[11]U[3] 1884/15759.
99 – D[11]U[3] 1884/15788; Bouvier, 120, 212.
100 – D[11]U[3] 1884/15887.

to a halt with the downfall of the Union générale.[101] In the case of the Société nationale de crédit, the capital issue in December 1881 failed and the declaration of payment was fictitious. Subscribers expected to pay from proceeds of resale of shares through the company itself.[102]

The 1 million franc capital of the Caisse générale des chemins de fer et des travaux publics, created in 1876, was entirely subscribed by the Belgian rail and tramway financier Simon Philippart senior who had left a trail of bankruptcies in his country of origin. It was bankrupt in 1885.[103] The Banque européenne was formed in Brussels in 1879 with a 25 million franc capital, entirely subscribed by its seven founders, among them Philippart. The latter experienced stock market losses and took to buying the bank's shares with its own money before fleeing in November 1879. The bank was saddled with costly commitments. The Comptoir industriel de France et des colonies was created in 1881 to take over from the Banque européenne and was in liquidation in 1884, two years before the Banque européenne itself.[104] A new attempt to achieve the same end of winding up old affairs took shape with the Comptoir industriel pour favoriser l'agriculture, le commerce, l'industrie et les transports, launched in 1887, bankrupt in 1890. At 30 million francs, capital was impressive, but actual cash put down was no more than 1.3 million. Philippart companies were intermingled in unconventional accounting practices.[105]

Cote de la Bourse et de la banque, an important journal, was the starting point of the original joint-stock company that became in 1881 the Société mobilière de crédit, capital 1.2 million francs. Profits tallied were often unavailable or drawn from operations with insolvent clients and the bank had forward contracts for purchase at high prices of Union générale stock. The latter's collapse left the bank in the red for 300,000 francs. More losses followed. So the bank engaged in *contrepartie* in 1884 and turned in a profit. But receivables remained irrecoverable and two creditors imposed bankruptcy in 1887.[106] *Contrepartie* is what the Comptoir général financier, founded in 1885 with a capital of 500,000 francs and the help of the *Bulletin hebdomadaire*, did until it went bankrupt in 1888.[107] The Caisse française de crédit, created in 1888 with a minimal capital of 500,000 francs, was no more than a fix to put cash in the hands of its founder and shield him from lawsuits initiated by his creditors. Bankruptcy was declared when he passed away in 1889.[108]

It is not clear what activity the Banque générale des chemins de fer et de l'industrie engaged in with its capital of 6 million francs. By 1892, one of its di-

101 – $D^{11}U^{3}$ 1884/15949; Bouvier, 116-118.
102 – $D^{11}U^{3}$ 1885/18388.
103 – $D^{11}U^{3}$ 1885/18356; *Le rentier*, 27 mai 1890.
104 – $D^{11}U^{3}$ 1886/19962; Compagnie des agents de change, case 3.
105 – $D^{11}U^{3}$ 1890/6986; *Le rentier*, 7 mai 1890.
106 – $D^{11}U^{3}$ 1887/2917.
107 – $D^{11}U^{3}$ 1888/3421.
108 – $D^{11}U^{3}$ 1889/6238.

rectors had committed suicide, three were on the lam and two were insolvent.[109] The Banque générale des valeurs and its weeklies *L'avenir financier* and the *Moniteur des actionnaires et des obligations* called for contributors to participate in speculation on the Rente but diverted money to its own use. It lasted two years.[110] The *modus operandi* of the Comptoir des fonds nationaux, founded in 1890 with a capital of 5 million francs and owner of *Annales de la Bourse* and *Nouveau mensuel de la Bourse*, had two aspects. The first was massive publicity. The second was constant rise of the price of its own stock and of securities it sold. In case of weakness, it would shore up prices by buying any paper offered. If it failed, prices would come tumbling down. Even if it succeeded, it had to be able to resell. That proved impossible and it lost half a million. One director resigned and three others made off with the till. Bankruptcy was declared in 1893.[111] The Caisse industrielle de Paris had a similar end. Established in 1903 with a capital of 1 million francs, it supported the stock of some companies and buckled under the weight.[112]

With the Crédit foncier de France tottering from illegal dealing with Egyptian bonds, a government-induced shakeup replaced the top brass in 1878. The deputy governor, baron George de Soubeyran, was a consummate financial operator who went on to found the Banque d'escompte de Paris, a large institution with a capital of 25 millions francs in 1878, 65 million in 1883. Despite its name, it was devoted to trading in securities and participating in issues of state loans and company shares and debentures. During the Argentinian crisis of 1891, rumours swirled around the bank, feeding speculation and spooking shareholders. In 1894, the sudden depreciation of stock of the Société des immeubles de France, an important chunk of the bank's portfolio, forced it to dismiss Soubeyran, then to go into liquidation.[113]

The Société française de banque et de change was really a one-man affair set up in 1891 by Alfred Balensi who earned the trust of many depositors as a manager of their wealth. He handled large sums and big transactions. Balance sheets showed profits and dividends were distributed. But all was false. Net loss in 1895 was 2.6 million francs for a bank whose capital was 250,000 francs. Liquidation came in 1896, a week after Balensi had dashed.[114] At the Crédit général de Paris, founded in 1887 with a capital of 3 million francs and owner of *Le pays financier* and *Le journal de la Bourse*, Eugène Comte ruled supreme. His arrest for breach of trust in 1894 led to cessation of payments, then to bankruptcy.[115] Jean Louis Alphonse Berger left a trail of bankruptcies since 1877. Unable to operate under his own name, he created the Banque des placements mobiliers et industriels in Brussels in 1900. More effort was spent attracting

109 – D[11]U[3] 1892/9971.
110 – D[11]U[3] 1892/10057.
111 – D[11]U[3] 1893/11810; Compagnie des agents de change, case 91; *Le moniteur de l'épargne*, 31 décembre1892.
112 – D[11]U[3] 1904/11205.
113 – D[11]U[3] 1894/12767; Compagnie des agents de change, case 75.
114 – D[11]U[3] 1896/15890.
115 – D[11]U[3] 1897/17556.

money and securities from clients than in putting them to profitable use. With claims and complaints piling up, Berger fled and bankruptcy followed.[116]

The Crédit industriel de Paris, created in 1899 with a capital of 2 million francs, financed a Belgian bank and a Parisian restaurant, onerous relationships that plunged it in losses, then into bankruptcy.[117] La *Rente viagère* was a quasi-bank that bought buildings and paid owners a life annuity. Founded in 1893 with a capital of 10 million francs, it apparently paid too high a price for properties and granted annuities that turned out to be out of line with the evolving price of buildings on the market.[118] In 1902, Pierre Chausse converted his personal banking business into the Banque lyonnaise, capital 800,000 francs. But he was being sued and about to face arrest. His escape with cash and securities ended the short-lived joint-stock bank and led to its bankruptcy.[119]

The manager of the Crédit international, established in 1899 with a capital of 52,000 francs, left a debt of 859,314 francs when he fled to London.[120] Simple lack of business led to the dissolution of the Banque de Lyon et de Paris, launched in 1901 with a capital of 1 million francs.[121] Untoward circumstances brought down the Comptoir industriel et commercial, established in 1900 with a capital of 1 million francs and owner of the *Le courrier des intérêts financiers*. This dealer in securities suffered losses due to market fluctuations relating to the Russo-Japanese war and to the illness of its manager.[122] La Banque Brocard, founded in 1899 with a capital of 2.5 million francs, also fell victim to this war, by way of the slide of the Rente.[123] It was the economic crisis of 1907 that brought down Le Crédit départemental, opened in 1904 with a capital of 1 million francs.[124]

The managing director of the Banque commerciale d'escompte et de crédit, apparently a genuine discount bank, acquired its assets with the aim of transforming it into the Banque commerciale franco-égyptienne with a capital of 400,000 francs in 1910. Litigation over the price of purchase resulted in bankruptcy of the first bank in 1911, then came dissolution of the second a month later when its founder did not pay up on his shares and disappeared with cash on hand.[125] The Banque générale de l'industrie automobile et de l'aviation, constituted in 1909, was an intermediary between car manufacturers and buyers. It acquired vehicles cash, then sold them marked-up 20% under an instalment plan providing for monthly remittances. With no down payment necessary, customers were easy to find. In aviation, it bought from suppliers and sold to companies. But its capital was insufficient for this type of business and buyers could not honour contracts. The bank had no reserves

116 – $D^{11}U^{3}$ 1901/6463.
117 – $D^{11}U^{3}$ 1901/7386.
118 – $D^{11}U^{3}$ 1902/8199.
119 – $D^{11}U^{3}$ 1902/8340.
120 – $D^{11}U^{3}$ 1904/10663.
121 – $D^{11}U^{3}$ 1903/9592.
122 – $D^{11}U^{3}$ 1904/11236.
123 – $D^{11}U^{3}$ 1907/15651.
124 – $D^{11}U^{3}$ 1908/17420.
125 – $D^{11}U^{3}$ 1911/20818 and $D^{11}U^{3}$ 1911/21647.

for uncertain receivables or for writing off bad debts. It sought lines of credit from other banks and declared false profits before throwing in the towel.[126]

This survey in a little-known corner of the cemetery of Parisian firms leaves several impressions. The first is that operating on securities, on and mostly off the Bourse, proved central to the activity of most of the banks, far more important than classic banking functions, such as lending and discounting. Said trading was, in fact, undisguised speculation. For all their lofty, ingenious and misleading names, most banks were no more than gambling venues. The extent to which the immaterial world of securities transactions, easily transmuting into plain wagering, had worked its way in the economy is a fact worthy of attention.

Another dimension lies in the public that bankers and banks addressed. Clientele was of a lower social status than the highfliers of the Bourse or the movers and shakers of big business. But they were not proletarians, members of the working class with no income to spare. Customers belonged to the petty bourgeoisie of merchants and shopkeepers possessing some resources, albeit modest, to commit. Their willingness to engage in speculation speaks not only to the diffusion of capitalist practices and mores but also to their actual need for additional revenues. There existed a public of potential speculators that small banks and bankers sensed and went out to attract.

Building the customer base is also a feature of this banking universe. Publicity was essential and most banks and bankers sponsored house publications to drum up support for securities and incite readers to make a bundle by getting on board. The fact that they sought to possess such journals attests to their key role in reaching customers. These publications were so important that they often represented the main asset of the bank or banker. One can assume that the targeted public responded. Herein lies another finding of this investigation, namely the readiness of customers to believe what they were told, which only reinforced their proclivity to speculate. Confidence went hand in hand with self-delusion. If any doubted they were being taken for a ride, none gave any indication of such scepticism, until requests to obtain delivery of their securities or their money went unheeded.

Reliable information pertaining to banks was surely lacking. Banking was unregulated. Verification of what the banks were actually doing on the securities market or of the veracity of their accounting was non-existent. There was no way of ascertaining whether they really executed orders to buy and sell, whether they acted as own-account traders, or whether they appropriated clients' money for their private transactions. The background of bankers was not a matter of public knowledge and some had previous convictions. Nevertheless, quite a few

126 – $D^{11}U^{3}$ 1911/21100.

had none and still committed offenses under the pressure of circumstances. At the same time, clients cannot be considered completely innocent or unwary victims of scams. Speculation was what bankers solicited them for and such business could not be conducted in full daylight. There was as much a dearth of information as an absence of eagerness to seek it or to be supplied with it. Clients appear predisposed to be hoodwinked.

THE 1997-1998 ASIAN FINANCIAL CRISIS: THE CASE OF HONG KONG

Marie-Claude Esposito
Professeur émérite de Civilisation britannique à la Sorbonne Nouvelle

Thailand's decision on 2 July 1997 to devalue its currency against the US dollar, after months of speculative pressures that had depleted its official foreign exchange reserves, triggered a deep financial crisis in most East Asian countries. This crisis, which impacted real economies, caught policy makers and economists by surprise since the economic situation of most East Asian countries had been sound in the 1990s, with GDP growth rates exceeding 7% on average (except in the Philippines), investment rates above 30% (except in the Philippines and Taiwan: 20%-25%), savings rates above 30% and low inflation rates (except in Malaysia and Taiwan).[1] But these very good economic indicators had masked structural weaknesses especially in the banking and financial systems of these countries, such as excessive lending, poor risk management and banking supervision and weak regulation.[2]

1 – Giancarlo Corsetti, Paolo Pesenti, Nouriel Roubini, 1999, « What caused the Asian currency and financial crisis? Part I: A Macroeconomic Overview», *Working Paper 6833*, NBER, 1998, Tables 4, 5, 12 and 14, <https://www.nber.org/papers/w6833.pdf>, consulted in August 2019.
2 – *Ibidem*, p. 3.

This was not the case with Hong Kong (HK): banks were well capitalized, the regulatory regime that had been developed from 1964 to 1980 was efficient and conformed to the Basle Committee recommendations,[3] disclosure standards were comparable to those in western countries, the exchange-rate system was strong and HK had very large official reserves. Moreover, its economic fundamentals were sound when speculative attacks started. However, HK's economy was severely affected by the 1997-1998 Asian financial crisis. How can this paradox be explained?

The first section of this paper gives an overview of the structural changes that affected HK's economy before the crisis. The second section describes how the financial crisis developed in Hong Kong and how the government responded to check speculative attacks. The third section presents the measures taken by the Hong Kong government to get the real economy out of a severe recession. The fourth section analyses the impact of the crisis on Hong Kong as an international financial centre (IFC).

STRUCTURAL CHANGES IN HONG KONG SINCE THE 1980s AND MACROECONOMIC PERFORMANCE

Growth was export-led in Hong Kong during the 1960s and 1970s. But compared with economies like Singapore, South Korea, and Taiwan, HK's manufacturing firms were reluctant to invest large amounts of capital in technological advances at a time when costs were rising fast. The HK government did not favour public support to Research and Development contrary to what was taking place in other Asian economies, and particularly in Japan. It did not have an active industrial policy and preferred a somewhat "passive" policy

3 – Robert Collin et Hervé Gonsard, « Hong Kong et Singapour places financières internationales : concurrence et complémentarité », *Bulletin de la Banque de France*, n° 87, mars 2001, p. 74.

ABSTRACT

Thailand's decision on 2 July to devalue its currency triggered an unprecedented financial crisis in the countries of South East Asia whose banking and financial systems suffered from structural imbalances, except in Hong Kong. This article tries to explain this paradox.

RÉSUMÉ

La décision de la Thaïlande de dévaluer le baht le 2 juillet 1997 déclencha une crise financière sans précédent dans les pays de l'Asie du Sud-Est, dont les systèmes bancaires et financiers souffraient de problèmes structurels, Hong Kong excepté. Toutefois, l'économie de Hong Kong fut très touchée par la crise financière. Cet article tente d'expliquer ce paradoxe.

JEL Classification: **F21, F31, F32, F33, G21**

Key words: **Currency board, devaluation, exchange rate, Hong Kong Monetary Authority (HKMA), speculation**

Mots clés: **Autorités monétaires de Hong Kong (HKMA), caisse d'émission, dévaluation, spéculation, taux de change**

that did not support any particular industry,[4] but was aimed at developing housing, infrastructure and education. The prospect of an end to the British mandate and a take-over by the communist regime in the PRC was enough to cool investors' enthusiasm, and justifiably so, one could say.

With the announcement of a programme of reforms that gave priority to light industry and export-led growth, the leader of the People's Republic of China (PRC), Deng Xiao Ping, opened a new era for HK's economy. From then on, the two main driving forces of the HK economy were: 1) the building of closer links with the PRC, which accelerated its integration with mainland China; and 2) the shift to services. Not surprisingly, the last stage of the Sino-British negotiations concerning Hong Kong's reversion to Chinese sovereignty (1982-1984) resulted in economic instability and real GDP growth weakening to an all-time low at 0.4% in 1985; but economic activity rebounded soon after, and on the whole the transition period of 1984-1997 was characterized by stability.[5] The Basic Law of 1990 maintained the status of "Special Administrative Region" (SAR) for Hong Kong, which could enjoy a high degree of autonomy under the concept of "one country, two systems" developed by Deng Xiao Ping.[6] On 1 July 1997 Hong Kong was handed back to China.

High land prices and wages in Hong Kong, coupled with cheap resources in mainland China pushed HK firms to relocate their labour-intensive factories in mainland China in order to reduce costs. HK was given the opportunity by the PRC to relocate its factories to southern China, particularly in the Delta of the Pearl River thanks to the creation by the PRC of Special Economic Zones (SEZs) that benefited from preferential tax policies.[7] This shift took the form of outward investment thanks to cross-border operations and plant relocation in the Pearl River Delta.[8] This relocation process resulted in a positive effect (cost reduction), but also in a negative effect, since it reduced incentives for manufacturers to invest in technology. It also deepened the division of labour in the management functions between Hong Kong and the Pearl River Delta.[9] As a result, HK's share of manufacturing in GDP diminished from 31.7% to 14.7% between 1980 and 1997[10] and the percentage of workers in manufacturing fell from 46,5% to 12,6% during the same period. By 1994, HK had become the PRC's

4 – Chyau Tuan and Linda Fung Yee Ng, "Manufacturing evolution under passive industrial policy and cross-border operations in China: The case of Hong Kong", *Journal of Asian Economics*, Vol. 6, No 1, 1995, p. 71-88.

5 – Kui-Wai Li, "The Political Economy of Pre- and Post-1997 Hong Kong", *Asian Affairs*, Vol. 28, No. 2, 2001, Summer, p. 67.

6 – There are currently two SARs: Hong Kong and Macau. They are both located in the Pearl River Delta in the Guandong Province.

7 – Linda Fung Yee Ng and Chyau Tuan, "FDI promotion policy in China: Governance and Effectiveness", *The World Economy*, Vol. 24, No 8, 2001, p. 1051-1074.

8 – Chyau Tuan and Linda Fung Yee Ng, "Manufacturing evolution under passive industrial policy and cross-border operations in China ..." *op. cit.*

9 – Chyau Tuan and Linda Fung Yee Ng, "Regional division of labor from agglomeration economies' perspective: Some evidence", *Journal of Asian Economics*, No 12, 2001, p. 65-85.

10 – Kui-Wai Li, "The Political Economy of Pre- and Post- 1997 Hong Kong", *Asian Affairs: An American Review*, Vol. 28, No. 2, Summer, 2001, p. 72.

main investor and Mainland China had become HK's third largest investor.[11] At the end of 1997, HK's direct investment in the Delta River amounted to US$ 48 billion, which represented almost 80% of total foreign investment there.[12]

During the transition period (1984-1997) the economic structure of HK became lopsided towards services at the expense of manufacturing, which reduced the external competitiveness of tradable sectors. As the contribution of manufacturing to HK's economy declined, that of services increased dramatically from 67.5% in 1980 to 85.2% in 1997.[13] In 1997, traditional services linked to import and export trade contributed to 16,1% of GDP, while new-developing services - banking, insurance, real estate and business services - contributed to 22,1%. Employment in new-developing services rose from 123 883 to 410 979 between 1980 and 1997, a process that was called "Manhattanization" by Tsang Shu Ki, a Hong Kong economist.[14]

During the pre-1997 years investment in HK was high in activities like real estate and services that required little capital and provided high short-term profits. These short-term investments led to fast growth in incomes and wealth. Local residents began investing in the stock market, and the Hang Seng Index rose dramatically between 1983 and 1997 from a yearly average of 933.03 in 1983 to 13,294.70 in 1997, this dramatic rise being matched by a rising turnover on the stock market from HK $37 million in 1983 to HK $ 3.788 trillion in 1997.[15]

The gains in the bullish stock market spread to the property market. Investment in property development rose from 29.75% in 1987 to 54.44% in 1999.[16] In other words, one economic sector absorbed more than half of domestic investment at the end of the transition period. Prices soared dramatically on the property market. This in turn triggered bubbles. According to some estimates, the average price of a building unit (including land) increased from HK$ 0.6794 million in 1985 to HK$ 1.777 million in 1993 and HK$ 3.2105 million in 1998,[17] while the average price index of residential property increased by 40% in 1997.[18]

By 1997, HK had become the most expensive city worldwide as regard property prices and rentals. Speculation in the property market redistributed incomes between the government thanks to high land prices, property owners because of asset appreciation, and commercial banks, which could benefit from good profit margins on loans, and gain when property was transacted before the maturity date of mortgage agreements.[19] As a consequence, more than 40%

11 – Tsang Shu Ki, "The Hong Kong Economy: Opportunities out of the Crisis", *Journal of Contemporary China*, Vol. 8, No 20, 1999, p. 32.

12 – Catherine R. Schenk, "Economic History of Hong Kong", *EH.Net Encyclopedia*, 2008, <http://eh.net/encyclopedia/economic-history-of-hong-kong/>, consulted in October 2014.

13 – Kui-Wai Li, "The Political Economy of Pre- and Post- 1997 Hong Kong", *op. cit.*, p. 72.

14 – *Ibidem*, p. 29.

15 – Ku-Wai Li, "The Political Economy of Pre- and Post-1997 Hong Kong", *op. cit.* p. 69.

16 – *Ibidem*, 73.

17 – *Ibid.*, p. 72.

18 – Tsang Shu Ki, "The Hong Kong Economy: Opportunities out of the Crisis", *op. cit.*, p. 36.

19 – Ku-Wai Li, "The Political Economy of Pre- and Post-1997 Hong Kong", *op. cit.*, p. 72.

of bank loans went to property-related activities. The Hong Kong Monetary Authority (HKMA), which had recommended in 1994 that property loans should not exceed 40% of total loans, was concerned by the over-exposure of the banking sector to the property market.[20] However, financial indicators showed that the banking sector was well managed and supervised, and the financial system in Hong Kong, together with that in Singapore far outperformed those in other Asian dragons, and could be considered as stable. In fact, Hong Kong's status as an international financial status was increasing. Not surprisingly, employment in the real estate sector increased fourfold from 1980 to 1997 when it reached 82,696.[21]

Another consequence of rocketing property prices was the strong rise in the profitability of the real estate sector. But because of the sharp rises in asset prices and bank lending one could expect that a downward adjustment would take place sooner or later if an external shock hit HK open economy despite the fact that its macroeconomic fundamentals were robust. From 1992 to 1996 it had enjoyed strong growth, real GDP increasing at an annual rate of 5.5%. Unemployment was under 3%; investment was high, as the investment to GDP ratio averaged 30%; national savings were high, the gross domestic savings ratio to GDP being over 30%, even if it had declined slightly from 34 to 31% over the period.[22] The pre-crisis economy was also characterized by:

– a wage-inflation spiral. During the first part of the transition period inflationary pressures pushed private sector workers to demand higher wages. Wages increased in manufacturing in the 1980s and in services in the following decade. This prodded the government into raising wages in the public sector, where there were seven to eleven years of double digit pay adjustments depending on the category civil servants belonged to.[23] As a result, HK experienced a price-wage spiral until the beginning of the 1990s, inflation measured by the implicit price deflator of GDP being close to a two-digit figure in most years and peaking at 12.32% in 1989.[24] Even though it slowed, to 5,83% in 1996, HK inflation rate exceeded other Asian countries' with the exception of China and the Philippines;[25]

– an appreciation of the HK dollar. While the nominal exchange rate of the HK dollar against the US dollar remained at its pegged value of 7.80,[26] the HK dollar appreciated in real terms against the US dollar. Taking 1990 as the base year, it had appreciated by 30% in real terms by the spring of 1997, which represented

20 – Tsang Shu Ki, "The Hong Kong Economy: Opportunities out of the Crisis", *op. cit.*, p. 33.

21 – Ku-Wai Li, "The Political Economy of Pre- and Post-1997 Hong Kong", *op. cit.*, p. 72.

22 – Ramkishen S. Rajan, Rahul Sen, Reza Siregar, "The 'Twin Cities' and the last Asian Crisis: Hong Kong, Singapore and Trade Spillovers", July 2001, p. 5-6, <http://www.hkimr.org/uploads/seminars/420/sem_paper_0_47_rajan2.pdf>, consulted in August 2019.

23 – Ku-Wai Li, "The Political Economy of Pre- and Post-1997 Hong Kong", *op. cit.*, p. 70.

24 – *Ibidem.*

25 – Giancarlo Corsetti, Paolo Pesenti, Nouriel Roubini, "What caused the Asian currency and financial crisis? ...", *op. cit.*, Table 14, p. 84.

26 – The rate of the peg had been set in October 1983.

the largest real appreciation (23% in the Philippines, 19% in Malaysia, 18% in Singapore, 12% in Thailand, 8% in Indonesia);[27]

– - strong money supply growth. Broad money supply, defined as M2, grew at an annual rate of 26.62% from 1981 to 1990, then at the lower pace of 12.35% from 1991 to 1998;[28]

– falling exports due to the structural changes that had taken place in manufacturing. Whereas export growth was at a two-digit rate during the 1980s, it became negative by the mid-1990s, while import growth was still very large.[29] This resulted in a strong trade deficit on visible goods for a long period. In fact, from 1978 to 1997 HK's trade depended largely on re-exports growing at an annual rate of 28,3%. This is why HK's total export/GDP ratio increased from 63.27 % in 1978 to 108.32 in 1997, showing that HK still had an important comparative advantage in trade.[30]

– large amounts of foreign reserves. Between 1990 and 1996, foreign reserves in Hong Kong increased by 159%.[31] In 1996, they exceeded short-term debt by about 5 times.[32]

THE 1997 ASIAN CRISIS AND THE EXTERNAL SHOCK ON HONG KONG'S ECONOMY

HK's monetary system[33]

When the government abandoned the silver standard in 1935, it introduced a currency board called the Exchange Fund. Under this rule-based system, the HK dollar was pegged at a fixed exchange rate to the British pound, which meant the HKMA had to maintain full convertibility between the HK dollar and the British pound. The currency board was not a central bank. The HK dollar was issued by three commercial banks and was guaranteed by an Exchange Stabilisation Fund controlled by the HK government. The currency board had no discretionary power in the field of monetary policy and could not act

27 – Giancarlo Corsetti, Paolo Pesenti, Nouriel Roubini, "What caused the Asian currency and financial crisis ? ...", *op. cit.*, p. 21. On the other hand, the currencies of South Korea and Taiwan had depreciated respectively by 14% and 10% over the same period.

28 – Ku-Wai Li, "The Political Economy of Pre- and Post-1997 Hong Kong", *op. cit.*, p. 71.

29 – *Ibidem*, p. 72.

30 – *Ibidem*.

31 – Giancarlo Corsetti, Paolo Pesenti, Nouriel Roubini, "What caused the Asian currency and financial crisis? ...", *op. cit.*, p. 39.

32 – Ramkishen S. Rajan, Rahul Sen, Reza Siregar, « The 'Twin Cities' and the last Asian Crisis... », *op. cit.*, p. 7.

33 – This paragraph draws from Yum K. Kwan, Francis Lui, "Hong Kong's Currency Board and Changing Monetary Regimes", in Takatoshi Ito and Anne O. Krueger, eds, *Changes in Exchange Rates in Rapidly Development Countries: Theory, Practice, and Policy Issues* (NBER-EASE Volume 7), University of Chicago Press, 1999, p. 405-408; and from Bronka Rzepkowski, « The expectations of a Hong Kong Dollar Devaluation and their determinants during the 1997-1998 crisis », *CEPII document de travail*, n° 2000-04, February 2000, <http://www.cepii.fr/PDF_PUB/wp/2000/wp2000-04.pdf>; and from Catherine R. Schenk, « Le passé d'une région : les relations monétaires entre Hong Kong et la Chine dans les années quarante », *Economie Internationale*, n° 78, 2e trimestre, 1999.

as a lender of last resort to commercial banks; HK's monetary system was a rule-based monetary system. Exchange rate stability was obtained through an automatic mechanism that linked capital inflows and outflows to the liquidity of the banking system, and was based on interest rate arbitrage: when there was capital outflows, banks sold domestic currency for foreign currency to the HKMA, which reduced the monetary base. As the liquidity level in the banking system fell, interest rates rose automatically, stabilizing the exchange rate.[34] Capital inflows triggered the reverse process, which resulted in an increase in the monetary base, a rise in the liquidity of the banking system and a fall in interest rates. Changes in the level of interest rates stabilized the exchange rate, without intervention by the monetary authority.

Except during WW2, HK's currency was pegged to sterling for more than three decades at the rate of 16 to 1 from 1935 to 1967, and confidence in the HK dollar was high.[35] Thanks to balance of payment surpluses and an increasing money supply, Hong Kong built up reserves during the 1960s. By October 1967, they amounted to £363 million, compared with £140-160 million at the end of the 1950s, which made Britain vulnerable to HK's sterling balances.[36] At the time of the sterling devaluation they reached £400 million, which means that the 14% devaluation of sterling on 18 November 1967 resulted in an immediate loss of £56 million.[37] Immediately after the devaluation of sterling, the HK government announced that the HK's dollar would follow the British pound. But the IMF did not accept a 14% devaluation for the HK$, and on 23 November the Hong Kong government announced a 10% revaluation of the HK$ against the pound from HK$ 16 to HK$ 14.5, representing a devaluation of 5.7% against the US$.[38] This peg operated until 1972. It must be noted that during that period there was also a currency market in Hong Kong where Chinese banks traded freely the HK dollar. To sum up, at that time there was in Hong Kong a fixed HK dollar rate to the British pound and the US dollar, and a HK dollar rate that floated freely in a parallel market for the merchants doing business in the Hong Kong region.[39]

In 1972 the link between the HK dollar and sterling was abolished and the HK dollar was pegged to the US dollar. This experiment did not last long and the devaluation of the US dollar in 1973 led the HK government to let the HK currency float against the US dollar in November 1974. The currency board did no longer function.

34 – Bronka Rzepkowski, "The expectations of a Hong Kong Dollar Devaluation and their determinants during the 1997-1998 crisis", *op. cit.*, p. 10.

35 – Catherine R. Schenk, 1999, « Le passé d'une région : les relations monétaires entre Hong Kong et la Chine dans les années quarante », *op. cit.*, p. 159.

36 – Catherine R. Schenk, 2004, "The empire strikes back: Hong Kong and the decline of sterling in the 1960s" *Economic History Review*, Vol. 57, No. 3, p. 554.

37 – *Ibidem*, p. 568.

38 – *Ibid.*, p. 570.

39 – Catherine R. Schenk, 1999, « Le passé d'une région : les relations monétaires entre Hong Kong et la Chine dans les années quarante », *op. cit.*, p. 159-160.

The free-floating system was maintained from 1974 to 1983. But the Sino-British negotiations on the transfer of sovereignty over HK from the UK to the PRC resulted in great volatility of the HK dollar, strong downward pressures, runs on banks, stock market crises and a real estate price collapse. The government decided to re-establish the Currency Board; but this time, the HK$ was pegged to the US dollar at a fixed exchange rate of US$1 to HK$ 7.80.

From 1988 onwards, HK Currency Board experienced a series of institutional changes.[40] They allowed the HKMA to influence the inter-bank market and interest rates as a result. Since then, the HK currency board has no longer functioned as a pure currency board. New "Accounting Arrangements" were introduced in 1988, which allowed the HKMA to intervene with open market operations; and since March 1990 the HK Currency Board has been allowed to issue "Exchange Fund Bills" which were very similar to short-term US Treasury bills. A liquidity adjustment facility (LAF) was also introduced in 1990, so that the HKMA could provide banks with liquidity, even if it was not intended to be on a regular basis. This is why high interest rates could be charged to banks using this facility repeatedly. On 1st April 1993 the HKMA took over the Exchange Equalisation Fund. Finally in December 1996, the "Accounting Arrangements" were replaced by a new interbank payment system, giving the HKMA a more efficient tool to manage money market operations. To conclude, the rules of the Currency Board were eased gradually from 1988 onwards. The HKMA could rely more on discretion than on rules even though a currency board is by definition a ruled-based system.[41] But the HKMA could not issue bank notes, that task remaining entrusted to three commercial banks (two British banks: Hong Kong & Shanghai Banking Corporation (HSBC) and the Standard Chartered Bank; one Chinese bank: the Bank of China). But the sensitivity of interest rates to capital movements was much greater, which was going to play a very important role during the financial crisis.

HK Government's fight against speculative attacks

The financial crisis started in Thailand on 5th February 1997 with the default of Somprasong Land, a Thai property developer. Other property developers were on the brink of defaulting together with financial institutions. Among them was Finance One, the largest financial institution of Thailand. Trading in Finance One's stock was suspended in February 1997, and the government tried to arrange the acquisition of Finance One by a small Thai bank, with a guarantee of the Thai central bank; but this strategy failed and Finance One

40 – Bronka Rzepkowski, "The Expectations of a Hong Kong Dollar Devaluation and their Determinants during the 1997-1998 crisis", *op. cit.*, p. 11.

41 – Francis T. Lui, Leonard K. Cheng, & Yum K. Kwan, "Currency Board, Asian Financial Crisis, and the Case for Structured Notes", *Working paper series*, City University of Hong Kong. Department of Economics and Finance, No. 135, May 2000, p. 3.

defaulted.[42] Speculators started to attack the baht, the Thai currency. The government tried to defend it by spending billions of dollars and raising key interest rates from 10% to 12.5% to make the baht more attractive; but this measure only made things worse. The government announced that the baht would float freely against the dollar on 2 July, and asked the International Monetary Fund (IMF) for help on 28 July. By 5 August, the baht had depreciated by 20%.[43] The strong depreciation of the baht triggered waves of speculative attacks against other South Asian currencies, whose countries had the largest current account deficits during the 1990s, namely Thailand, Indonesia, the Philippines and Malaysia. Their currencies were devalued one after the other by 30%.

Despite the fact HK had the third largest exchange reserves amounting to US$ 90 billion and a sound and well-regulated financial system, its currency came under attack in late October 1997, after the Taiwanese currency came under speculative pressures following the decision of Singapore to let its currency depreciate.[44] By 20 October, the Taiwanese currency had depreciated by 5%.[45]

The transfer of sovereignty that had taken place on 1st July 1997 was resulting in political uncertainty. Investors thought that Hong Kong would imitate Taiwan's decision, and that the HK dollar would float, or said in a different way, that the HK dollar would be devalued against the US dollar to restore competitiveness. Expectations concerning the overvaluation of the HK dollar were rational and based on the following economic considerations that added to the political risk linked to the reversion to Chinese sovereignty: since the beginning of the 1990s, the HK dollar had appreciated over 30% in real terms despite the worsening of the trade deficit since 1995; by the end of October the depreciation of some 40% of the currencies of Thailand, Indonesia, the Philippines, and Malaysia was harming HK's competitiveness; the recent depreciation of Taiwan's and Singapore's currencies, whose export mix was close to Hong Kong's, was making things worse.[46]

In Hong Kong, speculative attacks developed in three stages on both the exchange and equity markets. But to start with, HKMA decided not to devalue its currency and used the automatic mechanism of the currency board – in other words interest rate arbitrage – to defend the HK dollar. It hoped that very high interest rates would deter speculation and restore stability on the exchange

42 – Giancarlo Corsetti, Paolo Pesenti, Nouriel Roubini, "What caused the Asian currency and financial crisis? Part I ...3", *op. cit.*, p. 44.

43 – *Ibidem*, p. 45.

44 – Since both countries produced similar high-tech products, Singapore's decision was considered as an important threat to Taiwan's competitiveness., "What caused the Asian currency and financial crisis? ...", *op. cit.*, p. 52.

45 – The Korean won was the only currency that was not submitted to speculative attacks until the end of October 1997, even though South Korea had been in a serious economic crisis since the middle of 1996. The won collapsed in November and December 1997.

46 – Giancarlo Corsetti, Paolo Pesenti, Nouriel Roubini, "What caused the Asian currency and financial crisis? ...", *op. cit.*, p. 50.

market by stemming capital outflows. But on 23 October, it let all licensed banks know that if they used the LAF repeatedly they might pay penalty interest rates. This decision was meant to reinforce the interest response, but it created a panic in the banking community: the overnight inter-bank rate rocketed to nearly 280% when attacks on the HK dollar intensified[47] and the three-month inter-bank rate reached 20% on 23 October. As a result, foreign investors decided to leave the Hong Kong equity market and got rid of their stocks. The bubble in the stock market exploded, and the benchmark Hang Seng index fell by 10.4% on 23 October and by more than 30% a week later.[48] The PRC having promised to help Hong Kong defend its foreign exchange rate system, by making exchange reserves available and not devaluing the renminbi, the government stuck to its policy until the end of the year.[49] However extremely high interest rates, both in nominal and real terms, did not stop speculative attacks against the HK dollar. The financial bubble, which had been forming since 1996, burst out, the stock market and the property market collapsed, and the HK economy went into the most severe recession it ever had. It was to last until the end of March 1999, HK GDP having shrunk by 5.1% in 1998. But contrary to the press, the government thought that there was no evidence that speculators operated in the foreign exchange market and in the Hang Seng index futures market at the same time.[50] What is beyond doubt was a fast growing activity in the index futures market during the first nine months of 1998.

The second episode of speculative pressures against the HK dollar took place from 7 to 21 January 1998. It was linked to fears of a renminbi devaluation.

The last episode of speculation took place from 5 August to 4 September 1998 in a context of a significant decline in economic growth. It involved a double-play on the foreign exchange and the stock index futures markets.[51]

Obviously, HK faced a credit crunch from mid-1998 onwards. Banks were facing two main problems: 1) property was the major collateral of their loans, and given the intensity of asset deflation, they were reluctant to grant new loans without securing reliable assets; 2) the supply of funds from the interbank market was erratic. As a result, the HKMA had to find suitable measures to allay the liquidity difficulties the banks were experiencing under a currency board system. Thanks to direct purchases of stocks and equity index futures (equal to HK$ 118 billion or US$ 15,2 billion representing 7,3% of HK market

47 – Francis T. Lui, Leonard K. Cheng, & Yum K. Kwan, "Currency Board, Asian Financial Crisis, and the Case for Structured Notes", *op. cit.*, p. 5.

48 – Bronka Rzepkowski, "The expectations of a Hong Kong Dollar Devaluation and their Determinants during the 1997-1998 Crisis", *op. cit.*, p. 16.

49 – Tsang Shu-ki, "The Hong Kong Economy: Opportunities out of the Crisis", *op. cit.*, p. 40.

50 – Bronka Rzepkowski, "The expectations of a Hong Kong Dollar Devaluation and their Determinants during the 1997-1998 crisis", *op. cit.*, p. 16.

51 – For technical details, see Bronka Rzepkowski, "The expectations of a Hong Kong Dollar Devaluation and their Determinants during the 1997-1998 crisis", *op. cit.*, p. 17-18.

capitalisation)[52] between 14 and 28 August 1998, and the imposition of restrictions on short-selling, the fall on the stock exchange came to a halt, and stock prices improved. But this policy failed to halt speculation against the HK dollar, and the real economy was hurt.

Since high interest rates together with discretionary measures were not successful to counteract speculative attacks, the HKMA introduced measures on 5 September 1998 that strengthened the rule-based currency board, and reflected a major change in its strategy to defend the HK currency:[53]

- the convertibility guarantee was extended: licenced banks could convert HK dollars into US dollars at the fixed exchange rate of US$ 1 to HK$ 7.75, until circumstances permitted to go back to the US$ 1 to HK$ 7.8 parity;
- a discount window was set up to replace the LAF and banks could use Exchange Fund Bills and Notes (EFBN) (similar to US Treasury bills) as guarantee to borrow overnight HK dollars from the HKMA without a penalty rate.

Thanks to these measures banks could increase liquidity by rediscounting Exchange Fund Bills and Notes, and the HK dollar obtained the convertibility guarantee. Interest rates could no longer rise as high as before, which represented a major shift in policy. Moreover, if there was a currency attack banks could use their Exchange Fund Bills and Notes to inject liquidity to avoid capital outflows, which would limit double game speculation.[54]

But short bouts of speculative pressures could still occur as the 5 September measures did not mention the length of the convertibility period. This is why on 14 September the HKMA announced that the 7.75% rate would be maintained for at least 6 months; and to eliminate uncertainty totally, it announced on 26 November the planned time horizon for changes in the value of the exchange rate.[55]

To conclude, the repeated attacks on the HK dollar triggered by the risk aversion of international investors were fuelled by the expectations of a devaluation that in turn fuelled speculative positions in the index futures and options markets.

FROM DEFLATION TO RECOVERY

A negative real growth of -2,8% was registered in the first quarter of 1998 (the first real fall since 1985), and unemployment increased dramatically, reaching

52 – Robert Collin et Hervé Gonsard, « Hong Kong et Singapour places financières internationales : concurrence et complémentarité », *op. cit.*, p. 74.
53 – Francis T. Lui, Leonard K. Cheng, & Yum K. Kwan, "Currency Board, Asian Financial Crisis, and the Case for Structured Notes", *op. cit.*, p. 11; Bronka Rzepkowski, "The expectations of a Hong Kong Dollar Devaluation and their Determinants during the 1997-1998 crisis", *op. cit.*, p. 19-20. Giancarlo Corsetti, Paolo Pesenti, Nouriel Roubini, "What caused the Asian currency and financial crisis? ...", *op. cit.*, give a divergent explanation p. 51.
54 – Bronka Rzepkowski, "The expectations of a Hong Kong Dollar Devaluation and their Determinants during the 1997-1998 Crisis", *op. cit.*, p. 20.
55 – *Ibidem*, p. 21.

5% in May-June 1998 against 3% in late 1997.[56] All in all, in 1998 the fall in HK's GDP reached 5.1%, domestic investment at current prices fell by 13.9%, exports of goods by 10,9% and exports of services by 10,3%.[57] Unemployment went on increasing while consumption decreased. Since the government refused to devaluate the HK dollar, it could not avoid deflation as an adjustment mechanism. In the aftermath of the crisis, the prices of goods and services depreciated together with properties prices and rents. Many properties became negative assets, and Hong Kong suffered from massive withdrawals of funds.

The government was forced to change the course of its policy to address the problems the real economy was meeting. HK$ 30 billion were injected into the economy. A first package of measures was announced on 22 June 1998, including tax cuts, the suspension of land sales for 9 months and a pay freeze for senior civil servants. They were to turn the budget surplus of KK$ 10.7 into a deficit of HK$ 21.4 representing 1.5% of HK's GDP; but this deficit was nevertheless limited as HK's fiscal reserves were high (HK$ 450 billion at the end of March). In early July, the HKMA announced that it would repatriate HK$ 3 billion of foreign exchange reserves that had been placed overseas.[58]

In 1999 the government adopted a strategy that included four main elements: macroeconomic measures, the consolidation of the banking and financial sector, the widening of the economic base, and the promotion of long-term investment.

- Macroeconomic measures. On 3 March 1999, the budget speech announced tax rebates equal to HK$ 8.5 billion (US$ 1.1 billion) and the renewal of land sale based on a closed-door bidding system making the use of an average price possible.[59] With the return of foreign capital in April the stock market rebounded, and the Hang Seng Index increased by 21.85% between March and April.[60]
- Measures were introduced in the 1999-2000 budgets to protect the international status of HK's financial status. The dramatic fall in demand for bank lending resulted in a similar drop in the profits of banks, which pushed them to downsizing and penetrating new sectors, for example insurance and fund management. The first measures taken by the government were aimed at reducing interest rate volatility by giving all local banks access to the discount window. Then, it abolished the Interest Rate Agreement (IRA) in stages from 1 July onwards. This cartel-type agreement had been in force for three decades and if it had contributed to banking stability, it had prevented competition at the expense of depositors and borrowers. Interest rates were totally deregulated on 3 July 2001.[61] Measures were also taken to strengthen the supervision of banks. In the non-bank financial sector, the HKMA also started taking

56 – *Ibid.*
57 – Kui-Wai Li, "The Political Economy of Pre- and Post-1997 Hong Kong", *op. cit.*, p. 74.
58 – Tsang Shu-ki, *The Hong Kong Economy: Opportunities out of the Crisis*, *op. cit.*, p. 42.
59 – Kui-Wai Li, "The Political Economy of Pre- and Post-1997 Hong Kong", *op. cit.*, p. 76.
60 – *Ibidem.*
61 – Peter Chiu, "Hong Kong's Banking Industry Facing Keen Competition", *China Perspective*, No. 46, 2003.

measures to increase transparency in the securities and futures markets, and help develop a debt securities market. At that time, the development of HK's debt market was constrained by the absence of government debt in Hong Kong. The mainland bond market was viewed as an opportunity provided the renminbi became more convertible. The HKMA wanted to help Hong Kong's financial institutions to take advantage of the potential of mainland-China government debt market.[62]

– To promote long-term investment and widen the economic base, the government of Hong Kong set up the Innovation and Technology Commission (ITC) on 1 July 2000 which suggested five areas for improvement: "providing world-class technology infrastructure; offering financial support to R&D and technology transfer activities; nurturing human resource development; strengthening mainland and international collaboration in science and technology, and fostering a vibrant innovation culture".[63] It would work closely with other government departments and business institutions. If the HK authorities had had a rather "laissez faire" attitude until the crisis, this initiative showed a new strategy, with a clear involvement of the HK Government in technological and innovation development to support economic activity. In November 1999, it announced the successful negotiation with the Walt Disney Company to build a park in Hong Kong; and in February 2000, it launched an initiative called "Bringing the vision to life - Hong Kong's Long-Term Development needs and Goals".[64]

By the end of 1999, it was considered that HK's economy had stabilized, even if unemployment was still high. Business sentiment was on the rise: the Sino-American negotiations on China's accession to the World Trade Organization (WTO) were successful in November 1999, which meant that China was soon going to open its markets. One could expect that this would boost Hong Kong's economic activity. As a consequence, the IMF revised its forecast for HK's growth for the year 2000 from 3.5% to 4.3%.[65]

HONG KONG'S POSITION AS AN INTERNATIONAL FINANCIAL CENTRE (IFC) AFTER THE CRISIS

Hong Kong had become a leading IFC for Asia in the late 19th century, and remained so during the following century, being surpassed by Shanghai only

62 – Research and Policy, Corporate Strategy Unit, *Outlook for Hong Kong Debt Market, 2003*, <http://www.hkex.com.hk/eng/stat/research/rpaper/Documents/OHKDM.pdf>, consulted in October 2014.
63 – GovHK, *Hong Kong Fact Sheets-Innovation and technology*, <http://www.gov.hk/en/about/abouthk/factsheets/docs/technology.pdf>, consulted in October 2014.
64 – Kui-Wai Li, "The Political Economy of Pre- and Post-1997 Hong Kong", *op. cit.*, p. 77.
65 – *Ibidem*, p. 78.

a few times in 1925, 1935 and 1947 and by Tokyo after 1955.[66] As for Singapore, it had always ranked below Hong Kong, as it catered for the Southeast Asia region (Thailand, Malaysia and Indonesia) but not for the Asia-Pacific area. The Asian financial crisis together with the strong economic downturn resulted in a shrinkage of Hong Kong's financial activity for several years. After the 1997-1998 crisis Hong Kong's financial centre faced new challenges, which led to its transformation as an IFC.

During the 20th century firms in the export/import sector largely contributed to make Hong Kong an IFC. The relocation of HK's manufacturing to the Delta River increased re-export trade in the 1980s. Because of the fierce competition from other ports in the Guangdong province in the physical moving of goods, Hong Kong was pushed to provide "trading and logistics services for goods that did not touch its port".[67] But following the crisis of 1997, employment in these sectors stagnated, and grew only slightly in insurance and transport services from the mid-1990s to 2005. As for employment in financial institutions, the second largest sector within services, it was still in 2005 below the peak level it had reached in 1997 at 141 000.

Banking was no longer the leading financial activity: the regular increase in the number of licensed banks from 1955 onwards ended in 1995. Mergers and acquisitions reduced the number of banks from its peak of 185 reached in 1995 to 138 in 2006. The remaining banks were huge global banks belonging to the group of the top fifty banks worldwide. Most of their traditional activities declined or stagnated. Whereas loans and advances had increased at an annual rate of 21.3 % from 1973 to 1997, they declined by 42% between 1997 and 2005, banks having reduced the amount of loans and advances for use outside Hong Kong by 90% since the mid-1990s.[68] But banks kept providing expertise and advisory services to clients in Asia. They remained at the centre of networks, Hong Kong being used by banks located in Asia as a major base for financial operations, while European banks and American Canadian banks maintained their presence in Hong Kong and remained large players.

Because large international firms continued locating their regional headquarters and/or their regional offices in Hong Kong since 1997, Hong Kong as an IFC can use the links between the headquarters of the global firms and their regional headquarters and offices to provide expertise and advisory services for capital investment opportunities. Concerning the number of regional headquarters and offices located in Hong Kong in 2006, the US ranked first followed by Japan, the United Kingdom ranked third, and mainland China fourth. German, French, Dutch and Italian corporations have more than doubled

66 – David R. Meyer, Hong Kong's transformation as a Financial Center, p. 6, **<http://www.hkimr.org/uploads/conference_detail/585/con_paper_0_413_david-meyer-paper.pdf>, consulted in October 2019.**

67 – *Ibidem*, p. 13.

68 – *Ibid.*, p. 15.

their presence in Hong Kong, and Singapore's firms too. This shows that Hong Kong is the point of entry that gives access to Asian economic development.

Private equity funds and hedge funds have been expanding again rapidly in Hong Kong. The stagnation in the mid 1990's was not an indication that Hong Kong was losing ground as an IFC. It was linked to the recession due to the financial crisis, and also to a process of structural adjustment as firms shifted some activities to mainland China.

Cooperating with ten other Asian central banks the HKMA successfully launched the second phase of Asian Bond Fund (ABF2) that contributed to the development of regional bond markets in Hong Kong and other Asian financial centres.[69] In the first half of 2005, HKMA also engaged in a comprehensive review of the financial infrastructure of Hong Kong with two inter-related purposes, one objective being the development of an efficient and safe financial market infrastructure, and the second being the promotion of Hong Kong's status as an international financial centre.

Hong Kong's role as an IFC has been enhanced by the PRC's fast economic expansion and its needs for financial intermediation. Mainland companies have been raising capital on HK's equity market, and 205 mainland companies were listed on the HK Stock Exchange by the end of 2005, representing one third of the total capitalisation of the Stock Exchange and 40% of the market turnover.[70] But as financial liberalization proceeds in mainland China, its firms will become less and less dependent on Hong Kong's fund raising activities. By 2005, the HKMA was well aware that Hong Kong as an IFC would have to adapt if it wanted to maintain its role in the mainland's financial process. It considered that the development of renminbi transactions in Hong Kong since their launch in 2004, and the introduction of new products and technical transfers in risk management would be beneficial for both sides.[71]

Because Hong Kong is one of the most open economies, it is extremely vulnerable to external shocks, a good example being the 1997-1998 Asian crisis. Even if HK's economy did not suffer from the imbalances that the other Asian countries were experiencing at that time, it ended up as one of the worst-hit countries. Its real GDP shrank by 5,5% in 1998, and it experienced six years of deflation, being also strongly affected by the burst of the US dotcom bubble in 2001 and the SARS crisis in 2003.[72] By 2004, however, its economy had fully recovered, its real GDP growing by 8,6% in 2004 and 7,3% in 2005.[73]

69 – Hong Kong Monetary Authority, *Annual Report*, 2005, p. 83.

70 – *Ibidem*, p. 86.

71 – *Ibid.*, p. 87.

72 – Le *Severe Acute Respiratory Syndrome* (SARS) serait apparu dans la province du Guangdong en novembre 2002. Il aurait provoqué 299 décès à Hong Kong.

73 – *Ibid.*, p. 31.

During the 1997-1998 Asian crisis, Hong Kong was the only country that was able to defend its fully convertible currency, but the price paid for this successful defence after four waves of speculative attacks was extremely high. Its economy being more and more integrated with the economy of The People's Republic of China, we can expect Hong Kong to be more vulnerable to a slowdown in mainland Chinese growth in the future, but less exposed to external shocks from South East Asia or the rest of the world. During the 1997-1998 financial crisis the PRC supported Hong Kong as an international financial centre. Officials on both sides are well aware of the importance of cooperation between Honk Kong and mainland China, Hong Kong providing financial services for the mainland and the mainland creating an enormous demand for HK financial services. Moreover, Hong Kong being China's most international city, it serves as a gateway to China and links China to the rest of the world. However, the recent rise of Shanghai as an emerging financial centre has caused concerns about Hong Kong's future as a global international financial centre, the pessimistic camp thinking that Shanghai will overtake Hong Kong in the future, and the optimistic camp arguing that Hong Kong will continue to keep its dominant position. Choosing local Hong Kong banks for conducting more renminbi business proves that Chinese officials have made Hong Kong their testing ground for the internationalisation of the renminbi, which will strengthen its role as an offshore international financial centre.

Document

THE FRENCH ECONOMIC
HISTORY REVIEW

N° 14

Document

LE FOLIO 60 DU GRAND LIVRE DES ACTIONNAIRES DE LA BANQUE DE FRANCE : UNE SOURCE MÉCONNUE

Arnaud Manas
Banque de France

La Banque de France possède dans ses archives plus de deux mille grands registres[1] retraçant l'histoire de son capital depuis l'émission de sa première action en 1800 jusqu'au remboursement sa dernière obligation en 1967. Dans le premier de ces registres, « le grand livre A contenant les émargements du paiement des dividendes et des transferts d'actions » qui couvre la période du 1er ventôse an IX jusqu'au 5 novembre 1810, se trouve le folio 60 (voir FIG. 1).

Sur cette page, se trouve résumé le *curriculum vitae* de l'actionnaire Bonaparte, général Ier Consul, entre 1800 et 1807. Le 13 germinal an de l'an VIII (3 avril 1800), Bonaparte reçoit 1 500 francs en paiement du dividende de ses 30 actions de

1 – 1605 registres constitués entre 1800 et 1947 pour les actions (1069200401 AR 269 à 272, 277-278, 1069200902 AR 1 à 5, 115120021 AR 51 à 71, 1151201201 AR 1 à 124 : Actions de la Banque de France, registre d'inscription et d'émargement des actions, 1800-1882 ; 1132201501/AR/1 à 1274 et 1132201502/1 à 175 : Actions de la Banque de France, registre des bordereaux de transfert d'action, 1882-1947) et 467 registres constitués entre 1947 et 1967 pour les obligations (1132201501/AR/1266 à 1132201501/AR/1740 : Obligations de la Banque de France, registre des bordereaux de transfert et registre des bordereaux de remboursement d'obligations). Ces registres de sont de taille et de dimensions variables. Les plus gros (dont le livre A) mesurent 50 x 70 cm et pèsent près de 45 Kg. A ces registres s'ajoutent 140 000 cartes d'actionnaires réparties en 246 boîtes (bordereau 0008197101).

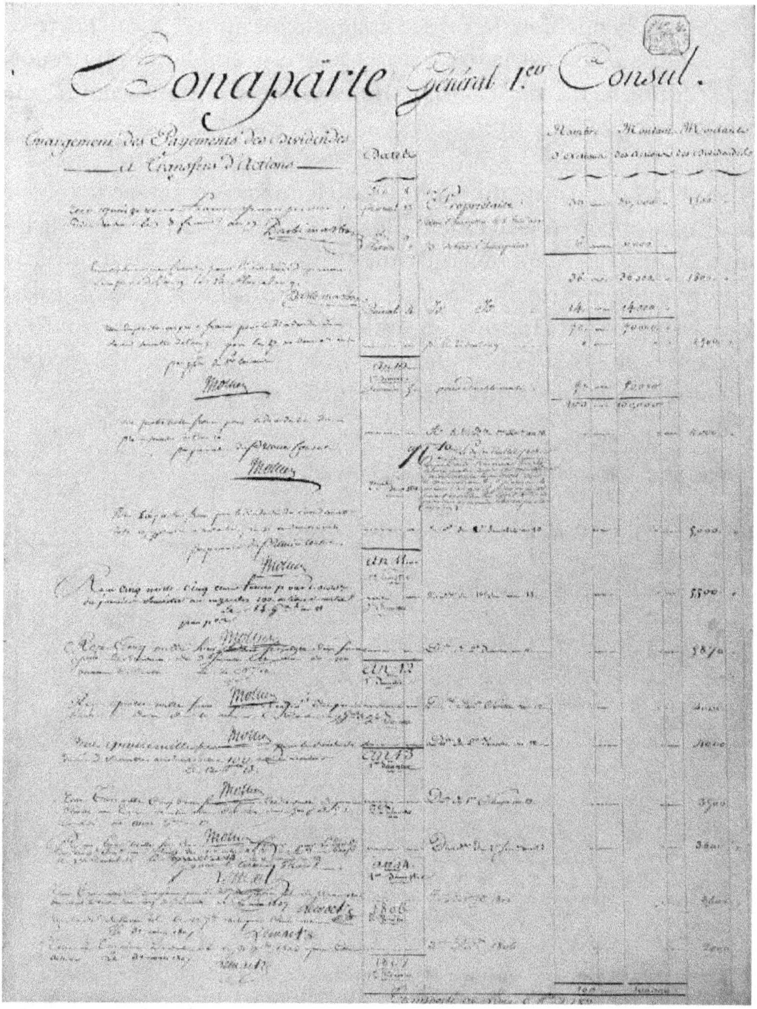
Bonaparte Général 1er Consul.

FIG. 1 **FOLIO 60 DU GRAND LIVRE** (ABdF : 1069200401/AR/269)

mille francs qu'il avait reçues gratuitement de Perregaux et Le Couteulx[2]. Le reçu est signé de Barbé-Marbois[3] « par procuration du premier consul ». À ces trente actions initiales, s'ajoutent 6 nouvelles actions (5 pluviôse an IX, 25 janvier 1801) puis 14 (4 prairial an IX, 24 mai 1801) avant le doublement

2 – Arnaud Manas, « Le mythe des trente deniers du 18 Brumaire », in Pierre Branda, dir., *Napoléon et l'économie*, Paris, Vendémaire, 2016, p. 79-100.

3 – François Barbé-Marbois (1745-1837), ministre du Trésor public de 1801 à 1806. Ils seront signés ensuite par Nicolas François Mollien (1758-1850), ministre du Trésor public de 1806 à 1814, et par Lemaitre « pour le trésorier général ».

(5 frimaire an X, 26 novembre 1801) de ces 50 actions, portant son portefeuille à 100 actions. À la dernière ligne de la page, la mention « Transporté au livre C f° 2782 » signale la suite des opérations. Ce folio emblématique recouvre la réalité de l'actionnariat de la Banque de France qui est souvent résumée à la liste annuelle des 200 plus forts actionnaires (voir FIG. 2).

Cette liste emblématique du capitalisme français recouvre la réalité plus complexe mais encore relativement inexplorée de l'actionnariat de la Banque de France[4]. Cette dernière fut constituée en société par actions uniquement en compte comme le prévoyait ses statuts[5]. De 1857 à 1945, le nombre d'actions émises resta constant (182 500) tandis que le nombre d'actionnaires crût continument (voir FIG. 3). À la nationalisation[6], les actionnaires reçurent des obligations nominatives[7] amortissables sur 20 ans en remplacement de leurs actions nominatives.

FIG. 3 **NOMBRE D'ACTIONNAIRES** (en gris) **ET NOMBRE D'ACTIONS** (en noir)

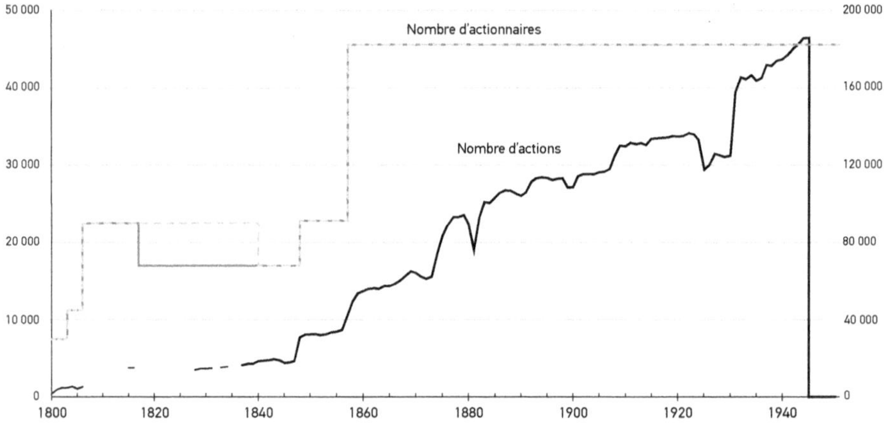

4 – Voir plus spécifiquement sur la question des actionnaires de la Banque de France : Jean Bouvier, « La Banque de France et l'État des années 1850 à nos jours », in *L'historien sur son métier: études économiques XIXe-XXe siècles*, Paris, Éditions des archives contemporaines, 1987, p. 369-395 ; Alain Plessis, *La Banque de France et ses deux cents actionnaires sous le Second Empire*, Genève, Droz, 1982 ; Alain Plessis, *La politique de la Banque de France de 1851 à 1870*, Genève, Droz, 1985 ; Alain Plessis, « Nobles et actionnaires de la Banque de France de 1800 à 1914 », in *Histoires de la Banque de France*, Paris, Albin Michel, 2000, p. 199-211 ; Louis Bergeron, *Banquiers, négociants et manufacturiers parisiens du Directoire à l'Empire*, Paris, EHESS, 1978 ; Arnaud Manas, "Banque de France's shareholders (1800-1945) : passive petits-rentiers", *Research in Economic History*, 2019, Vol. 35, p. 133-163.

5 – Article 17 des statuts primitifs du 24 pluviôse an VIII (13 février 1800) : « Les actions de la Banque sont représentées par une inscription nominative sur un registre double tenu à cet effet. »

6 – Article 2 de la loi du 2 décembre 1945 : « Les actionnaires reçoivent des Obligations nominatives négociables délivrées par la Banque, dont la valeur de remboursement est fixée à la valeur liquidative de l'action [...] ».

7 – « En application de la loi du 2 décembre 1945, relative à la nationalisation de la Banque de France et des grandes banques et à l'organisation du crédit, modifiée par les lois des 8 avril et 17 mai 1946, et conformément à l'arrêté du Ministre des Finances en date du 19 juillet 1946, l'échange des actions de la Banque contre des obligations est actuellement en cours de réalisation. Le prix de rachat de l'action a été fixé à 28 029 francs. Les anciens actionnaires reçoivent pour chaque action, à concurrence de 28 000 francs, des obligations nominatives d'un montant nominal de 7 000 francs, amortissables en vingt ans au plus, produisant un intérêt annuel de 3 % avec jouissance du 1er janvier 1946. » (Compte rendu des opérations 1946, p. 98).

(47.)

LISTE

DES DEUX CENTS ACTIONNAIRES

Appelés par le nombre de leurs actions à constituer l'assemblée générale de la Banque de France au 25 vendemiaire an 9, aux termes des statuts.

Nos	NOMS.	PRENOMS.
1	Audiffret.	*Charles*
2	Basterreche, régent.	*Léon*
3	Bastide.	*Louis-Barthélemi*
4	Berryer.	*Pierre-Nicolas*
5	Bonaparte.	*Lucien*
6	Barrillon, régent.	*Alexandre*
7	Bodin.	*Charles*
8	Basterreche freres.	
9	Bonaparte (général, 1er consul).	
10	Beauharnois.	*Hortence*
11	Beaucheron (Lavauverte).	
12	Bayard.	*Louis*
13	Beaumont.	*François*
14	Barbier d'Aucourt.	*François*
15	Bernard Chambiniere.	
16	Barbé Marbois.	*François*
17	Becquerel.	*Claude*
18	Carié, régent.	
19	Caruel.	*Jean-Baptiste*

FIG. 2 **LISTE DES 200 PLUS FORTS ACTIONNAIRES PRÉSENTS À L'ASSEMBLÉE GÉNÉRALE DU 25 VENDÉMIAIRE AN IX** (17 octobre 1800)

Si le capital est relativement bien connu du point collectif ou macro-économiques (dividendes, nombre d'actions et d'actionnaires, cours de l'action, bilans, *etc.*), en revanche il l'est beaucoup moins du point de vue individuel et micro-économique. Au-delà de la problématique des 200 familles, qui connut une grande fortune politique sous la IIIe République[8] (voir FIG. 3) et de certains

8 – Olivier Dard, « Banques centrales et mythologies politiques dans l'entre-deux-guerres », in Olivier Feiertag et Michel Margairaz, dir., *Politiques et pratiques des banques d'émission en Europe (XVIIe-XXe siècle)*, Paris, Albin Michel 2003, p. 549-568 ; Arnaud Manas, « Francis Delaisi et la Banque de France ou l'obsession de l'Argent », in Éric Bussière, Olivier Dard et Geneviève Duchenne, dir., *Francis Delaisi, du Dreyfusisme à « l'Europe nouvelle »*, Bruxelles, Peter Lang, 2015, p. 111-142.

actionnaires emblématiques comme les Rothschild[9], l'actionnariat français est mal connu.

La source constituée par ces deux mille registres est quasiment inexploitée à ce jour. Elle peut permettre de véritablement renouveler l'étude du capital en France au XIXe et au XXe siècle, par une approche micro-économique et prosopographique[10]. Plus particulièrement, son étude pourrait répondre à de nombreuses interrogations comme les éventuelles tentatives de prises de contrôle de la Banque de France sous le second Empire par les Pereire[11], le dénouement de la crise du Comptoir d'Escompte[12], les périodes de resserrement de son actionnariat en1880-1883 et 1925-1930 (voir FIG. 4). Ces archives devraient permettre d'étayer ou de réfuter les supputations autour de délits d'initiés[13] et de complot[14]. Un projet de numérisation et de base de donnée collaborative sous l'égide de la Mission historique (et de la RFHE) doit être entrepris.

9 – Voir à ce sujet Jean Bouvier, *Les Rothschild*, Paris, Fayard, 1967 ; Arnaud Manas et M. Dreyfus, *La genèse du « complot de 1973 » : Antisémitisme, banques centrales et... pieuvres*, Séminaire de la Mission historique de la Banque de France, 2015, <https://www.researchgate.net/publication/323069263_La_genese_du_complot_de_1973_Antisemitisme_banques_centrales_et_pieuvres>

10 – Voir à ce sujet : Claire Lemercier, « Les carrières des membres des institutions consulaires parisiennes au XIXe siècle », *Histoire & mesure*, vol. XX, n°1-2 | 2005, p. 59-95.

11 – Alain Plessis, *op. cit.*, 1985, p. 153.

12 – Pierre-Cyrille Hautcœur, Angelo Riva, Eugene N. White, "Floating a 'lifeboat': The Banque de France and the crisis of 1889", *Journal of Monetary Economics*, Vol. 65, 2014, p. 104-119.

13 – Ce point est particulièrement délicat dans la mesure où la notion même de délit d'initiés n'a été introduite dans la loi en France qu'en 1967 avec la notion d'« information privilégiée ». En outre, l'alignement des intérêts particuliers et généraux était garanti par l'obligation pour les dirigeants-propriétaires (gouverneurs, régents et censeurs) de détenir un minimum d'actions. D'autre part, il est évident que les versements de dividendes exceptionnels en 1820, 1831 et 1864 avaient été anticipés par le marché.

14 – D.L.L. Parry, "Articulating the Third Republic by Conspiracy Theory", *European History Quarterly*, Vol. 28, No. 2, 1998, p. 163-188.

FIG. 4 **LA PIEUVRE DES 200 FAMILLES, DESSIN DE *L'HUMANITÉ*, 1936.**

REVUE FRANÇAISE
D'HISTOIRE ÉCONOMIQUE

N° 14

Archives

THE FRENCH ECONOMIC
HISTORY REVIEW

N° 14

Archives

PRÉSENTATION GÉNÉRALE DES ARCHIVES DE LA BANQUE DE FRANCE

Frédérik Grélard
Banque de France

Les archives de la Banque de France autorisent plusieurs approches historiographiques. Elles intéresseront bien sûr les chercheurs en histoire monétaire, en histoire économique et histoire politique, quel que soit l'échelon géographique étudié (mondial, national ou régional), et ceux qui étudient les relations internationales. Elles permettent également d'écrire l'histoire interne de la Banque de France d'un point de vue social (gestion du personnel et relations paritaires), industriel (papeterie et fabrication des billets) et plus largement organisationnel. Les chercheurs sont donc en capacité de poursuivre l'exploration des « histoires de la Banque de France » qu'appelait de ses vœux Alain Plessis[1].

Les archives de la Banque de France sont constituées d'environ 100 000 articles (cartons ou registres) couvrant une période allant de 1800 à nos jours. La Banque de France a hérité également de quelques fonds d'archives d'établis-

1 – Alain Plessis, *Histoires de la Banque de France*, Paris, Albin Michel, 1998.

sements l'ayant précédée à Paris (Caisse des Comptes courants[2]) ou en province (Banques départementales[3]) et d'instituts d'émission avec lesquels elle était liée tels que la Banque de Réescompte de la Sarre[4] ou l'Institut d'Émission des États associés[5].

La description générale des archives qui suit se focalise plus particulièrement sur les fonds relatifs à la politique de l'escompte, la politique du crédit se transformant en politique monétaire, à la réglementation bancaire et financière ainsi qu'aux relations internationales[6]. Les notes de bas de page mentionneront, sans caractère exhaustif, quelques bordereaux de versement d'archives se rapportant aux activités évoquées.

Les archives de la Banque de France sont des archives publiques soumises au régime de communicabilité fixé dans les articles 213-1 à 213-8 du Code du patrimoine. Elles sont consultables dans une salle de lecture située au cœur de Paris à proximité immédiate du siège de l'institution.

LE GOUVERNEMENT DE LA BANQUE

Créée en 1800, la gouvernance de la Banque de France est assurée par un Conseil de régence (qui deviendra Conseil général en 1936) et, initialement, par un Comité central[7] (émanation des actionnaires). Ce dernier est remplacé, suite à la loi du 22 avril 1806, par un Gouverneur assisté de deux Sous-gouverneurs nommés directement par l'Empereur.

Fonds des Gouverneurs et Sous-gouverneurs

Les fonds des Gouverneurs et Sous-gouverneurs forment un ensemble d'environ 1000 articles et couvrent la période 1820-2015. Bien que 80 personnalités différentes se sont succédé aux postes de Gouverneurs ou Sous-gouverneurs[8], seuls quelques-uns d'entre eux ont laissé des fonds constitués (Papiers Pallain[9], Clappier[10], de la Genière[11], de Larosière et Camdessus[12], Trichet, Noyer). En effet, au XIXe siècle en particulier, les papiers personnels des Gouverneurs

2 – 1069200402.
3 – 0707200401 par exemple pour la Banque de Rouen ou W3996 aux archives départementales du Rhône pour la Banque de Lyon.
4 – 1069200415.
5 – 1466200602.
6 – La commande initiale de cet article consistait à présenter les fonds se rapportant au cœur de métier d'une banque centrale. Les archives relatives aux Directions de supports ne seront donc pas évoquées ici : elles n'en demeurent pas moins conséquentes.
7 – 1069200104/18.
8 – 1069201118 comprend les dossiers de fonctions de ces derniers.
9 – 1035200401.
10 – 1035199501.
11 – 1035199602.
12 – 1035200103.

se trouvent insérés dans différents fonds thématiques constitués par le Secrétariat du Conseil général. Quelques lacunes sont à déplorer dans les papiers des Gouverneurs Robineau ou Moreau. Par ailleurs, l'essentiel des papiers Baumgartner sont conservés à la Fondation Nationale des Sciences Politiques.

Le fonds du Sous-gouverneur Rist[13], « médecin de la monnaie »[14] de l'entre deux guerre, mérite une mention particulière puisqu'il comprend non seulement les archives publiques de Charles Rist, artisan de la stabilisation du franc et Sous-gouverneur de la Banque de France entre 1928 et 1929 mais également l'ensemble de ses papiers privés, antérieurs et postérieurs, déposés auprès de la Banque de France par ses descendants en 2006.

Les cabinets des Sous-gouverneurs (papiers Calvet, Prate, de Lattre, Lagayette, Hannoun, Redouin, Landau) ont également versé de nombreux dossiers se rapportant à leur participation à diverses instances : comités de Direction de l'Union Européenne de Paiement (UEP) pour le Sous-gouverneur Calvet, séances des conseils d'administration des banques coloniales[15] pour d'autres.

Le Conseil général

Les procès-verbaux du Conseil général constituent, pour reprendre l'expression d'Alain Plessis[16], le « fil directeur » de l'histoire de la Banque de France quel que soit le sujet étudié. Des index permettent des recherches thématiques et renvoient aux séances à consulter. Émanations de ce conseil, différents sous-comités[17] exercent une partie de leurs attributions ou constituent des organes consultatifs jusqu'en 1936[18]. Les procès-verbaux des conseils et comités sont numérisés et librement accessibles en salle de lecture.

Le compte rendu annuel présenté devant l'Assemblée générale des actionnaires, remplacé en 1945 par le compte rendu des opérations puis en 1993 par le rapport annuel adressé au Président de la République, est la principale publication officielle présentant les opérations et l'organisation de la Banque de France. Les principales publications (Balance des paiements, Rapport de la zone franc, Rapports annuels du Comité des établissements de crédit et du Comité de la réglementation bancaire, etc.) sont consultables sur le site GALLICA de la BNF[19].

13 – 1037200603.
14 – Selon la formule utilisée par Georges-Edgard Bonnet dans la *Revue d'économie politique* de novembre-décembre 1955.
15 – 1037196101.
16 – Alain Plessis, *op. cit.*, p. 27.
17 – 1069200104 contient les originaux des procès-verbaux des Comité des billets, Comité des livres et portefeuilles, Comité des Caisse et Comité des succursales.
18 – Un Comité permanent est créé avec la loi du 24 juillet 1936. Il sera supprimé avec la loi du 24 novembre 1940 (1069200104/12-13).
19 – https://gallica.bnf.fr/edit/und/banque-de-france

Fonds du Secrétariat du Conseil général

Le Secrétariat du Conseil général est chargé de l'organisation et de la tenue des différents conseils. Il a également parmi ses missions celle de conserver les archives de la Banque. Ainsi, très tôt, ce secrétariat a constitué de nombreux dossiers thématiques sur les divers sujets discutés par le gouvernement de la Banque. Ces dossiers, constitués par prélèvement de documents se rapportant à une même question parmi l'ensemble des fonds d'archives, ont été conçus comme des dossiers de référence et d'aides à la décision. Cette pratique, non conforme au principe de respect des fonds cher aux archivistes, explique pourquoi le contenu de ses collections traite de thématiques très diverses (politique de l'escompte[20], conférences monétaires internationales[21], contrôle et politique du change[22], politique monétaire[23], crise monétaire[24], Union syndicale des banquiers de province[25], etc.).

LES FONDS DES DIRECTIONS OPÉRATIONNELLES

Les créations et suppressions de Services ou de Directions témoignent de l'évolution des activités de la Banque de France. Le Secrétariat général tient, jusqu'à la Seconde Guerre mondiale, une place particulière puisque toutes les questions d'importance transitent par ses Services. Il est notamment en charge des rapports quotidiens avec le ministère des Finances[26] pour tout ce qui concerne le fonctionnement du compte courant du Trésor Public[27] et du compte des Avances de l'État et prépare les conventions, soumises au Conseil général[28], passées avec le ministère.

Par ailleurs, lorsqu'une nouvelle activité se déploie, telle que la fonction « étude » par exemple, c'est auprès du Secrétariat général qu'elle est rattachée. Ses activités lui confèrent ainsi un rôle jugé parfois considérable ; « Je ne veux pas avoir un Secrétaire général plus puissant que moi » écrira le Gouverneur

20 – 1069198803.
21 – 1069199405, 1069199121, 1069199405, 1069199610.
22 – 1069199531, 1069198804.
23 – 1069198810, 1069199403, 1069199404, 1069200803.
24 – 1069199121.
25 – 1069199010.
26 – 1060199601/22-26 : demandes d'ouverture de crédits aux Trésoriers payeurs généraux adressées par la Direction du Mouvement général des Fonds au Gouverneur (1880-1892), 1060200102/128-143 : correspondance active et passive du Secrétaire général au Mouvement général des Fonds (1892-1940) ; 1060192601 : concours apportés aux émissions du Trésor (1881-1918).
27 – 1245200216/1-154 et 1245201209/1-32 : registre de situation du compte du Trésor public (1908-1963).
28 – 1069199609/1-13 : fonds documentaire du Secrétariat du Conseil général se rapportant aux relations avec le Trésor (1800-1973) ; 1069201216 : 13 registres se rapportant aux relations de la Banque de France avec le Trésor (1800-1888).

Émile Moreau dans ses *Souvenirs*. La consultation des fonds du Secrétariat général[29] s'avère un passage quasi obligé pour nombre de recherches.

Politique de l'escompte, politique du crédit et politique monétaire

Les statuts de la Banque de France de 1808 précisent que les opérations de la Banque consistent « *à escompter à toutes personnes, des lettres de changes et autres effets de commerce, à des échéances déterminées ne pouvant excéder* trois mois, souscrits par des commerçants et autres personnes notoirement solvables ».

Le Service de l'Escompte[30] est composé d'un cabinet, dont le rôle est de préparer l'examen des signatures des effets présentés au Comité d'Escompte (émanation du Conseil de Régence) et une section des Engagements, dont l'activité est d'établir la situation d'un présentateur vis-à-vis de la Banque. Ses fonctions concernent essentiellement des opérations liées au crédit tant du point de vue de l'exploitation, puisqu'il gère les comptes d'escompte des cédants, que du point de vue de la réglementation et du contrôle à opérer auprès du réseau des succursales. Il donne à cet égard toutes les instructions d'ordre général sur la politique à suivre en matière de crédit.

Outre les procès-verbaux du Comité d'Escompte ou de celui des Livres et Portefeuilles, le chercheur consultera également le fonds de la Direction générale de l'Escompte ainsi que différents fonds thématiques sur l'évolution de l'escompte constitués par le Secrétariat du Conseil général.

La Banque de France exerce ses activités via un dense réseau de succursales (jusqu'à 259 en 1928). Celles-ci comprennent outre l'escompte des effets présentés principalement par les banquiers ou autres escompteurs locaux, les principales attributions des banques de dépôts ouvrant tout à la fois des comptes de dépôts de fonds, des comptes courants[31] ainsi que des comptes d'avance[32]. La clientèle parisienne de la Banque, par exemple, est ainsi détaillée dans 8 000 fiches individuelles d'admission au compte courant avec ou sans faculté d'escompte[33]. Outre l'état civil du demandeur, ces fiches indiquent ses parrainages et surtout les observations du chef de l'escompte sur le profil du demandeur. Les ouvertures de comptes sont rappelées également dans les procès-verbaux du Conseil général. En province, une étude des clients de la Banque s'appuiera sur les rapports d'inspection du portefeuille décrits ci-après.

Intégré à la Direction de la Comptabilité en 1935, le Service des Comptes courants a pour mission de tenir les comptes ouverts à la clientèle particulière, aux établissements financiers, officiers ministériels, instituts d'émission

29 – 1060199601, 1060200102, 1060200106, 1060200001, 1060200101, 1060200103, 1060200105 : opérations avec la clientèle, 1060200107 : opérations de souscriptions aux valeurs du Trésor, 1060200108 : politique de change et or, 1060200109 : relation avec l'étranger, 1060200401.

30 – 0011199901, 1069198803, 1067198802.

31 – 1245198108 : grands livres des comptes courants Paris.

32 – 1069199423 : comptes courant d'avance sur titre.

33 – 0011199301.

étrangers et organismes internationaux. Le chercheur pourra consulter les registres comptables des comptes courants figurant dans le fonds du Secrétariat du Conseil général ainsi que la suite de ces registres versés par la Direction de la Comptabilité.

Initié avec la convention du 23 juin 1928 (article 3) entre la Banque de France et la Caisse autonome d'amortissement qui permettait à la première de faire de l'*open market* avec les bons de la deuxième[34], la Banque de France va intervenir, désormais officiellement à la suite du décret du 17 juin 1938, sur le marché monétaire par le biais d'opérations d'*open market* plutôt que par le réescompte du portefeuille des banques.

Cette évolution marque ainsi une adaptation à un nouvel environnement et aux nouveaux besoins économiques de la France. « Elle cesse d'être à proprement parler une banque, pour devenir la centrale monétaire de la Nation » écrit François Perroux dans la Revue d'Économie Politique en 1944.

Après la Seconde Guerre mondiale, la Banque assure une mission de contrôle du crédit, en tant qu'organe d'exécution du Conseil National du Crédit (CNC)[35] créé par la loi du 2 décembre 1945, cette dernière parachevant la nationalisation de la Banque de France. Le CNC est doté à la fois d'une mission consultative sur la politique générale du crédit et de la monnaie, établissant notamment les modalités d'une sélection qualitative (décision du 9 janvier 1947) puis quantitative (décision du 29 septembre 1948), et d'un pouvoir réglementaire sur l'organisation et le fonctionnement du système bancaire, reprenant notamment une partie des attributions du comité permanent d'organisation des banques[36] créé par Vichy. La subordination de la Banque de France au CNC et donc à la puissance publique s'avère toutefois toute théorique comme l'a démontré Eric Monnet dans sa thèse *Politique monétaire et politique du crédit en France pendant les Trente Glorieuses*. En raison du nombre important de ses membres et de leur diversité, les projets de « décisions à caractère général » du CNC étaient, en pratique, préparés par le ministère des Finances ou la Banque de France. Le Gouverneur, étant vice-président du CNC, présidera de fait la plupart des séances en l'absence quasi continue du Ministre des Finances, président du CNC. La Banque de France, assurant le secrétariat du CNC et lui fournissant ses moyens d'enquête et d'action, conservait de facto son autonomie. Les archives du CNC[37] composées d'environ 600 articles et de publications (les rapports annuels et leurs annexes sont disponibles sur Gallica) apportent un éclairage unique sur la politique du crédit en France.

34 – Eric Monnet et Vincent Duchaussoy, « L'impact de la Grande Guerre dans les relations de trésorerie entre l'État et la Banque de France (1914-1936) », in Olivier Feiertag et Michel Margairaz, dir., *Les banques centrales pendant la Grande Guerre*, Collection Mission historique de la Banque de France, Paris, Presses de Sciences Po, 2019, p. 110.

35 – 1427200301.

36 – 0001200002 comprenant également les archives relatives aux relations avec l'Association professionnelle des banques.

37 – Entre autres 1427200604, 1427200604, 1427200605, 1393199302, 1427200601, 1427200602, 1427200701, 1427201301, 1427201601.

Le Service des Études de la Direction de l'Escompte était chargé de préparer les décisions en ces matières et de mener les études générales ou particulières sur les problèmes posés par le financement des entreprises. L'exercice de cette mission a entraîné des modifications fondamentales dans les interventions de l'institut d'émission : disparition progressive de la clientèle directe et orientation vers le rôle exclusif de banque des banques ; développement de l'escompte du papier de crédit au détriment du papier commercial ; substitution de critères monétaires à la simple vérification de la solvabilité des signatures engagées.

Bras droit du CNC au sein de la Banque de France, la Direction générale du Crédit[38], créée en 1946, contribue à son information et à la mise en œuvre des décisions prises par lui. Cette Direction a également pour rôle l'examen des problèmes monétaires liés à la distribution et l'encadrement du crédit. Dans son volet étude, elle suit notamment l'évolution des disponibilités monétaires, la variation des ressources et des emplois bancaires, la distribution du crédit entre les divers secteurs de l'activité économique. L'adaptation permanente de l'expansion du crédit et de la monnaie aux besoins de l'économie en vue d'objectifs précis définit donc la politique monétaire.

Pour sa mise en œuvre, les moyens d'intervention[39] sur les agrégats monétaires ont évolué avec le temps : encadrement du crédit (quantitatif et qualitatif, ce second aspect renvoyant également à une histoire sociale du crédit et de la monnaie) ; obligation faite aux banques de constituer des réserves obligatoires ou de respecter des ratios de liquidité ; action sur les taux d'intérêt ou encore opérations d'*open market*.

Toutes les activités ayant trait à l'escompte, au crédit et à la politique monétaire[40] sont réalisées par différents Services opérationnels. Le chercheur consultera ainsi avec profit les fonds de la Direction générale de l'Escompte, de la Direction générale du Crédit, du Service puis Direction du Marché monétaire[41], de la Direction générale des Opérations monétaires, de la Cellule monétaire, de la Direction des Interventions monétaires ou encore de la Direction des Analyses statistiques et monétaires ainsi que des Services d'études associés tel que le Service d'Études économétriques et de Recherche[42].

Les relations internationales

La nécessité de disposer d'une encaisse métallique (or et argent) en cohérence avec le montant des billets en circulation puis le contrôle de la valeur externe

38 – 1331199404 sur les encours de crédits, 1331200301 : cabinet de la Direction générale du crédit, 1331199405 : études sur le crédit à l'économie, 1331201702 fonds de la Direction des analyses et statistiques monétaires.
39 – 1330201101.
40 – 1370201602.
41 – 1332199301, 1332199101, 1360200701, 1332199301, 1332199101.
42 – 1404200701, 1403200701.

de la monnaie[43] conduisent la Banque de France à entretenir de nombreuses relations internationales avec d'autres banques centrales étrangères et, au XIXe siècle, plus singulièrement encore avec la Banque d'Angleterre dont toutes les opérations sont scrutées. À l'initiative originellement des régents issus de la Haute banque parisienne, ces relations illustrent les réponses apportées aux crises monétaires (1836, 1847, 1860-1861) puis au développement de la place de la France dans les échanges commerciaux internationaux à partir du Second empire. Ces relations sont bien entendu relatées dans les procès-verbaux du Conseil de Régence. À partir du Gouvernorat Pallain, les gouverneurs s'entretiendront directement entre eux ou via le Secrétariat général. À noter que pour les années 1920-1930, compte tenu de son rôle éminent dans les processus de stabilisation de différentes monnaies européennes, la consultation des papiers Charles Rist est indispensable.

L'importance croissante des relations internationales se matérialise dans l'entre-deux guerre avec la création d'un Service bancaire étranger regroupant, en 1928, le Service des Changes et celui des Effets sur l'étranger auparavant rattachés à la Caisse principale. Cette dynamique se renforce encore après la Seconde guerre mondiale et va conduire à la création en 1946 d'une Direction générale des Services étrangers chargée de cette seule question. Le volet politique, conduit en liaison avec le Ministère des Finances, comporte les négociations avec l'étranger que ce soit en bilatéral[44] (dans le cadre d'accords monétaires, financiers ou commerciaux), au sein de la Banque des Règlements internationaux[45], des institutions de Bretton Woods (Fonds monétaire international[46], Banque mondiale[47]) ou encore dans le cadre de différents organismes européens[48] ou internationaux[49]. On soulignera ici plus particulièrement l'importance des fonds se rapportant à la construction européenne[50]. Les dossiers de sessions et les procès-verbaux de réunions des instances européennes auxquelles participe la Banque de France (comité des Gouverneurs des banques centrales, Comité monétaire en particulier) forment la matière principale. Ils sont complétés des dossiers constitués sur telles ou telles thématiques (politique agricole commune, Système monétaire européen, fonds de coopération économique, etc.).

Précisons également que parmi ces « Services étrangers », un Service est spécifiquement chargé des relations avec la Zone franc et ses pays membres[51].

43 – 1069198804. Le chercheur pourra également consulter des séries longues sur les taux de changes sur le site internet de la Banque de France,
<https://www.banque-france.fr/la-banque-de-france/histoire/annuaire-historique/le-sbe-1821-1873-resultats-et-commentaires>

44 – 1450197202.

45 – 1489200303.

46 – 1489200301.

47 – 1489200302.

48 – 1489200202 : Union européenne de paiement, 1489200203 : Accord monétaire européen.

49 – 1489200206 : OCDE.

50 – 1489200205, 1489200704, 1489200603 : Institut monétaire européen.

51 – 1466200601, 1466201302, 1466200702.

Autres acteurs de ces relations internationales, la Direction des Changes[52], créée en août 1926, et le Service de la Réglementation et du Contrôle des changes créé au début des années 1950, traitent eux du volet opérationnel. La Direction des Changes assure la surveillance des marchés des changes et de l'or, l'exécution des interventions sur ces marchés et la gestion courante des avoirs en devises de la Banque de France puis du Fonds de stabilisation à partir du 28 décembre 1958.

La Caisse générale[53] est chargée quant à elle de la conservation des réserves d'or de la France et gère également l'or déposé à la Banque de France par des banques centrales étrangères (communément appelé « or sous dossier »).

Réglementation, supervision bancaire et stabilité financière

Jusqu'à la fin des années 1930, les activités bancaires sont exercées en France dans un cadre libéral. Soucieuse de la qualité de son portefeuille, la Banque de France surveille attentivement la bonne santé des banques entrant en relation avec elle. Les rapports d'inspection des succursales, une fois encore, portent la trace de ces examens.

La réglementation et la supervision bancaires vont s'organiser ensuite autour de deux principes posés par les lois des 13 et 14 juin 1941[54] : la nécessité d'obtenir une autorisation préalable à l'exercice du métier de banquier et le contrôle de la régularité des opérations conduites.

Jusqu'à la loi bancaire de 1984, les responsabilités de réglementation et de contrôle des activités bancaires seront partagées entre le ministère des Finances, le CNC, la Commission de contrôle des banques et la Banque de France. L'autorisation ou agrément d'exercer est délivrée, après examen du dossier de l'établissement dans un premier temps par le Comité d'organisation professionnel des banques, instance créée en 1941, puis à partir de 1945, par le Comité des banques et établissements financiers, émanation du CNC, sur la base de dossiers préparés à la Banque de France par la Direction des établissements de crédit[55]. Ce rôle sera, avec la loi bancaire de 1984, confié au Comité des Etablissements de Crédit et des Entreprises d'Investissement (CECEI). Le dossier individuel est complété chaque fois qu'une modification importante de l'organisation ou de l'activité de l'établissement intervient. Sont ainsi conservés environ 3500 dossiers d'établissements couvrant une période allant de 1941 à nos jours : il s'agit là d'une source importante pour connaître l'évolution du paysage bancaire hexagonal.

52 – 1495200501.
53 – 1280199901, 1280200401, 1280200801, 1280200802.
54 – 1427200603, 1367200604.
55 – 1357200703, 1357200601, 1357200701, 1357200901.

La Commission de contrôle des banques était chargée de la surveillance des banques et des sanctions à appliquer à ces dernières en cas d'infraction. Elle disposait également d'un pouvoir réglementaire. Devenue Commission bancaire en 1984[56], celle-ci fusionne en janvier 2010 avec l'Autorité de Contrôle des Assurances et des Mutuelles (ACAM) pour devenir l'Autorité de contrôle prudentiel (puis de Résolution ou ACPR en 2013) dont la mission englobe désormais les autorisations (délivrance des agréments), le contrôle (surveillance sur pièce et sur place des assujettis), la protection de la clientèle, les sanctions (en cas de manquements ou infractions) et la résolution en cas de crise (visant à limiter l'impact des défaillances bancaires). Ces diverses activités se matérialisent notamment dans plus de 9 000 dossiers individuels d'établissements bancaires conservés et les rapports d'inspection d'établissements qui sont particulièrement riches du fait d'un examen poste par poste du bilan. À noter que les dossiers individuels des assurances et mutuelles assujetties à l'ACAM, avant fusion avec la Commission bancaire, sont conservés par le Service des archives du ministère des Finances dont elle relevait. À ces dossiers d'établissements, s'ajoutent les procès-verbaux des différents collèges et comités de l'ACPR, ses rapports annuels ainsi que les études thématiques produites par ses Services d'études.

Le Comité de Réglementation bancaire[57] créé également par la loi bancaire de 1984, réunira une partie des prérogatives du CNC (les décisions de caractère général[58]) et de la Commission de Contrôle des Banques (détermination des normes comptables et prudentielles[59]) et sera chargé d'établir les « prescriptions de caractère général », selon les termes de l'article 30, applicables pour l'ensemble de la profession bancaire et financière. Ses rapports annuels sont disponibles sur Gallica[60].

Depuis la fin des années 1970, dans un cadre international ou supranational, les Services de la Commission bancaire puis de l'ACPR[61] participent à la régulation et à la stabilité financière internationale notamment à travers l'élaboration de différents ratio[62] ou mécanismes de couverture de risques (opérationnel, de crédit ou de marché) au sein des comités dits de Bâle où siège la Banque des Règlements Internationaux. Cette activité se traduit par de nombreux dossiers de séances et d'études. Cette activité relève désormais d'un pôle commun Stabilité financière regroupant la Direction de la Stabilité financière (pour la Banque de France) et la Direction d'Étude et Analyse des Risques (pour l'ACPR) dont la vocation est de réaliser les recherches et analyses

56 – 1749200912, 1749200110, 1749200111. Ses rapports annuels sont disponibles sur Gallica, <https://gallica.bnf.fr/ark:/12148/cb344064810/date>

57 – 1357200701, 1357200703, 1357200601, 1357200601, 2786201301.

58 – 1357200901.

59 – 1740199007, 1749201013.

60 – <https://gallica.bnf.fr/ark:/12148/cb344593657/date>

61 – 1749200912/253-357 et 1749201012/199-345 comprenant les archives du Service des affaires internationales de la Commission bancaire.

62 – 2773201401, 2773201003, 2773201013 sur le ratio Cooke par exemple.

du domaine, de produire des travaux d'aide à la décision et diverses mesures qualitatives permettant d'évaluer les risques du système financier français et de participer aux groupes de travail internationaux sur le sujet (BCE, FSB, ESRB, FMI) ou nationaux (HCSF).

Succursales et présence de place

Opérant initialement à Paris, la Banque de France s'implante en région, dans un premier temps via un réseau de 150 correspondants[63], puis à l'instigation de Bonaparte, via les éphémères comptoirs d'escompte de Lyon, Rouen et Lille créés entre 1808 et 1810 mais qui seront finalement supprimés entre 1813 et 1817. Profitant de cette vacance, des banques départementales d'émission vinrent remplacer ces comptoirs (à Rouen, Lille) voire se développèrent ailleurs (Nantes, Bordeaux, etc.). Consciente de cette concurrence, la Banque de France, aidée en cela par la puissance publique, va relancer une politique de création de comptoirs désormais autorisée par simple ordonnance (à Reims par exemple en 1836) alors qu'il faut une loi pour créer un banque départementale. Les décrets des 27 avril et 2 mai 1848 parachèvent l'unicité d'émission en promulguant l'absorption des banques départementales dans le réseau des implantations de la Banque désormais appelées succursales. Quelques fonds d'archives des succursales déposées aux archives départementales contiennent les papiers de ces comptoirs d'escompte (Lyon, Rouen ou Lille) ou des banques départementales les ayant précédés (Le Havre[64], Nantes[65], Orléans, Toulouse).

En province, la Banque de France apparait jusqu'en 1880 concurrente des banques locales dans le domaine de l'escompte direct, puis partenaire lorsqu'elle ouvre plus largement sa politique de réescompte auprès de ces dernières - alors concurrencées par les agences des grandes banques de crédit. À nouveau la concurrence se fera jour lorsque la Banque de France, se plaignant de l'absence de réescompte des grands établissements de crédit auprès de ses guichets, renforce ses capacités d'escompte direct en augmentant le nombre de ses succursales (notamment dans le cadre du renouvellement de son privilège d'émission en 1897). Cette activité nécessite de bien connaitre ses clients et la conjoncture économique locale. L'admission à l'escompte en succursale était à la main du conseil d'administration de la succursale qui, outre son directeur, était composé des représentants de la notabilité économique locale. Toutefois, afin de garder le contrôle de cette activité décentralisée, des inspecteurs de la Banque, en tournée, étaient chargés du contrôle du portefeuille des succursales ainsi que de la bonne tenue de leur administration.

Une note adressée au Gouverneur en date du 20 décembre 1851 précise bien le rôle attendu de cette inspection :

63 – 1069201001 : archives du correspondant de Clermont-Ferrand.

64 – 5ET aux archives départementales de la Seine-Maritime.

65 – 4ET aux archives départementales de Loire-Atlantique.

> En ce qui touche l'ensemble du commerce de chaque succursale, les inspecteurs se rendraient compte de sa situation, de ses tendances, de ses besoins, de l'esprit qui l'anime, de ses usages et de ses modes d'opérer propre à chaque branche d'affaires, dans le détail, ils s'efforceraient de connaître la position des négociants, les capitaux et les qualités qu'on leur attribue, leur manière de travailler et leur crédit. Ils prendraient note du mouvement des espèces, de l'époque de leur sortie et de leur entrée, de la nature et de la qualité des exportations et des importations, des progrès ou de la décadence des industries locales et enfin de relations commerciales qui unissent la succursale aux contrées voisines et aux autres succursales.

Les rapports d'inspection du portefeuille des succursales[66] rédigés par les inspecteurs offrent un examen particulièrement précis des clients (entreprises, particuliers ou banques) et donc du tissu d'affaires local. Ils offrent une mine d'information pour qui s'intéresse à l'histoire économique régionale ou à un secteur d'activité donné. Les résumés des rapports économiques des directeurs de succursales[67] adressés au siège complètent la description du climat d'affaire local.

Les archives des succursales, autant celles désormais fermées que restant en activité, ont été versées et sont conservées dans les dépôts publics du réseau des Archives départementales depuis 2005 (sous les séries ETP ou W). Le chercheur y trouvera notamment les procès-verbaux du conseil d'administration, parfois ceux du comité d'escompte, des dossiers se rapportant aux entreprises et banques locales les plus significatives, les rapports économiques mensuels, ainsi que de nombreux journaux et registres comptables (généraux ou clientèles). Précisons toutefois que le contenu de ces fonds est plus ou moins riche selon l'importance du commerce local bien sûr mais aussi, hélas, des aléas de la conservation des dossiers sur place.

Avec le développement des banques de crédit et la transformation progressive de la Banque de France en banque centrale, celle-ci a délaissé peu à peu la gestion de la clientèle privée pour se saisir de missions d'intérêt public. Cette présence de place comprend plusieurs activités opérationnelles exercées localement mais pilotées depuis le siège par la Direction générale des Activités fiduciaires et de place. Au niveau local, la collecte, l'analyse et la mise à disposition d'informations sur les entreprises non financières du rayon d'activité permettent ainsi d'alimenter la base de données FIBEN et d'établir des diagnostics conjoncturels et sectoriels.

Succédant à la Centrale des risques[68] créée en 1946, la Centrale de bilans, créée par la Banque de France en 1969, rassemble une documentation écono-

66 – Ces derniers sont numérisés et en libre accès dans la salle de lecture.

67 – À partir de 1863, les directeurs de succursales devaient adresser mensuellement à Paris un bulletin de la *Situation commerciale, industrielle, financière et économique de leur circonscription* lu en séance du conseil de Régence. Ceux-ci n'ont malheureusement pas été conservés mais, à partir de 1867, des *Résumés* sont rédigés. Cette collection sous la cote 1069201226 couvre la période 1867-1959.

68 – 1367200003/163-170, 1331200301/190-191 et 403-408, 1180200601.

mique et financière, de source principalement comptable, sur les entreprises qui acceptent de participer à cette centralisation. Les données ainsi recueillies sont regroupées et analysées. Elles sont restituées aux entreprises adhérentes sous forme de dossier individuel ou de rapport d'expertise (prestation Géode) ou font l'objet de publications portant chacune sur un secteur de l'activité économique.

Les archives exploitables directement, par opposition à la masse des données recueillies dans ces bases, sont constituées des fascicules et études sectorielles produites par la Direction des Entreprises (Centrale des bilans et Observatoire des entreprises).

La collecte de données exercée par les Services de la Banque permet à celle-ci de les proposer au public via un portail statistique[69].

69 – <https://www.banque-france.fr/statistiques/acces-aux-series/webstat/comment-retrouver-une-donnee-une-serie-une-information>

REVUE FRANÇAISE
D'HISTOIRE ÉCONOMIQUE

N° 14

Comptes rendus de lecture

THE FRENCH ECONOMIC
HISTORY REVIEW

Nº 14

Book Reviews

Michel Margairaz et Danielle Tartakowsky
L'État détricoté. De la Résistance à la République en marche
Paris, Éditions du Détour, 2018, 224 p.;
réédition, Paris, 2020, 248 p.

Dans leur ouvrage publié en 2018 et réédité, enrichi, en 2020, Michel Margairaz et Danielle Tartakowsky s'interrogent sur l'évolution de l'État en France de la Résistance à la République en marche. Comme ils le précisent dans leur introduction, cette évolution a été « protéiforme et contradictoire » : en dépit du brusque effondrement du système politique, le poids de cet État n'a cessé d'augmenter, les dépenses publiques représentent plus de 50 % du PIB. Pour comprendre une telle situation, une double précaution s'impose : ne pas se contenter des discours, replacer cette évolution dans le temps long et « ne pas dissocier les politiques publiques mises en œuvre de leur réception par les différents groupes sociaux et politiques ainsi que des mobilisations qu'elles ont suscitées ou qui les ont affectées ». C'est pourquoi il convient de revenir à la séquence 1944-1946, quand s'est constitué le socle de l'État social, autour du programme du Conseil national de la Résistance. Au terme de la grande croissance de l'après-guerre, il a connu, au tournant des années 1970 et 1980, une double mutation industrielle d'une part, financière et monétaire de l'autre. Le desserrement des contrôles et des formes administratives a transformé les trois figures de l'État : régulateur, régulier et social. L'État peut donc être à la fois affaibli et appauvri, renforcé et sécuritaire. Glissant de l'assurance vers l'assistance, l'État social se maintient.

La première partie traite de « l'État social et sa crise 1945-1992 ». Le chapitre 1 (« De la Résistance à l'État gaulliste : une double culture ») porte sur les années 1936 à 1967. Les auteurs y rappellent l'héritage de l'été 1936, à savoir une double culture politique de mobilisation et de régulation, mais aussi, et surtout, l'apport du programme du CNR. Ce dernier combine une double légitimité transpartisane et transnationale. Les grandes réformes de structure renforcent la légitimité démocratique : tel est le cas du Plan de modernisation et d'équipement, des nationalisations industrielles et bancaires, de la sécurité sociale et du Conseil national du crédit. Le retour au pouvoir du général De Gaulle légitime à nouveau l'héritage du CNR. Tout en donnant son accord au Marché commun à l'Euratom, à la fin des contingentements et des quotas au premier janvier 1959, le nouveau Président pour la République adhère au Plan (IVe et Ve Plan) avec pour objectif la recherche d'une politique d'expansion dans la stabilité. En dépit de l'échec d'une politique contractuelle des revenus et d'un plan de stabilisation imposé par la contrainte extérieure, les grandes entreprises nationales jouent un rôle moteur et le système de protection sociale s'élargit.

Le chapitre 2 s'intitule « l'État et la double postérité contradictoire de mai 1968 ». Jusqu'en 1968, même si la croissance économique se heurte à des obstacles, la croissance poursuit sur sa lancée avec une amorce de libéralisation. En revanche, la crise de mai 1968 exerce un effet de ralentissement du mouvement de libéralisation économique et financière. La relance se produit avec Georges Pompidou et Jacques Chaban-Delmas, autour de la « Nouvelle société ». À partir de 1974, le libéralisme se renforce, pour l'essentiel dans la première année du septennat de Valéry Giscard d'Estaing, puis avec le choix de Raymond Barre comme Premier ministre. Tandis qu'émerge une seconde gauche (autour de la CFDT et de l'autogestion), le PCF demeure la principale force d'opposition, d'où la réaffirmation d'une culture de la régulation. Certes, depuis Épinay, en 1971, le nouveau parti socialiste se rallie à des conceptions décentralisatrices et pragmatiques, mais le mouvement de libéralisation se trouve freiné en 1977. Suite à l'échec des municipales, le gouvernement Barre procède à une quasi-nationalisation de la sidérurgie. 1981 marque un tournant, avec l'élection de François Mitterrand à la Présidence de la République. Avec lui, les nationalisations constituent bien une consolidation du rôle de l'État. Cependant, la loi de décentralisation du 2 mars 1982 ouvre la voie à de nouveaux rapports entre l'État central et les collectivités territoriales, alors que les fonctionnaires français bénéficiant désormais d'un statut unique au monde.

De 1960 à 1992, se sont écoulées « trente années de libéralisation à bas bruit » (chapitre 3). Durant ces années, le Plan, affaibli structurellement par la contrainte extérieure, connaît une mutation forte : départ de Pierre Massé en 1966, remplacé par François-Xavier Ortoli, effets croissants de la concurrence internationale, d'où l'introduction d'une limitation du pouvoir d'achat dans le Ve Plan. Il s'agit désormais de faire face à l'impératif industriel par la politique des champions nationaux en vue de constituer des groupes de taille européenne, d'accorder une plus grande autonomie de gestion aux entreprises publiques. Il s'ensuit une hostilité des syndicats et la forte mobilisation de mai-juin 1968. Cette mobilisation s'appuie, de plus en plus, sur de grandes entreprises nationales contraintes, pour la poursuite de leurs programmes d'équipement, à faire appel toujours plus au marché financier national et international. De plus, l'arrivée de la gauche au pouvoir, en 1981, s'accompagne de nationalisations de grande ampleur. La loi du 13 février 1982 concerne cinq groupes industriels du secteur concurrentiel, deux filiales de groupes étrangers et s'accompagne de prises de participation majoritaires chez Dassault et Matra. Il s'agit alors de recapitaliser les groupes privés nationalisés et de les désendetter par le biais de restructurations comme celles, déjà engagées, dans les secteurs anciens en crise. D'abord confié à Jean-Pierre Chevènement, le dossier passe ensuite à Laurent Fabius, partisan d'une plus grande autonomie de gestion des entreprises nationalisées.

Il est vrai qu'entre juin 1982 et mars 1983 s'est produit « le tournant de la rigueur ». Confronté à l'explosion des importations et à un déséquilibre grandissant de la balance des paiements, la gauche, sous l'impulsion de Jacques Delors, procède à une deuxième et troisième dévaluation du franc, à chaque fois accompagnées d'un programme de redressement budgétaire et financier. S'ensuivent des réformes majeures, qui se situent dans la droite ligne des propositions du rapport Marjolin-Sadrin-Wormser de 1969 ainsi que des réformes des structures bancaires introduites, dès 1967, par Michel Debré, alors ministre des Finances, et Jean-Yves Haberer (atténuation de l'opposition banques de dépôts-banques d'affaires). L'objectif d'une « désinflation compétitive » ne fait aucun doute : il s'agit de réduire le chômage, d'intégrer de manière définitive le franc dans le Système monétaire européen, par glissement, sur le modèle allemand, d'une politique de la demande à une politique de l'offre, en opposition avec les ambitions de l'Union de la gauche de 1981. La gauche semble donc se rallier à des valeurs de droite.

Celle-ci, il est vrai, a retrouvé un nouvel élan, marqué, jusqu'à l'été 1984, par une mobilisation de plus en plus forte ; C'est dans ce contexte que le nouveau ministre des Finances socialiste, Pierre Bérégovoy, fait adopter, toujours en 1984, une loi créant un marché des capitaux à court terme. Reprenant des mesures déjà prévues par Michel Debré, puis Raymond Barre et René Monory, cette loi permet d'ouvrir à l'État le marché du court terme. En même temps, dès 1983, sont créés un second marché ouvert aux PME, puis, en juillet 1985, un marché à court terme des produits dérivés, enfin, en février 1986, le MATIF (Marché à Terme des Instruments Financiers), le tout accompagné d'une dématérialisation et d'une informatisation des opérations de Bourse : l'adoption de la Cotation Assistée en Continu (CAC) permet l'interconnexion de la Bourse française et des marchés mondialisés.

En 1986, la droite revenue au pouvoir veut rompre avec le dirigisme, le trop d'État et le colbertisme. Sous la double influence de Margaret Thatcher et de

Ronald Reagan, Jacques Chirac, Premier ministre de cohabitation, et son ministre des Finances, Édouard Balladur, privatisent Saint-Gobain, dès 1986, puis Paribas, Suez, la Société générale, la Compagnie générale d'électricité, Matra, le Crédit commercial de France, Havas et TF1. Il s'agit de redonner à la place financière de Paris son rôle international, grâce à la constitution d'un capitalisme populaire, tout en se gardant de prises de contrôle par des intérêts étrangers, d'où les « noyaux durs » d'actionnaires français de référence. Un instant ralenti par le krach boursier d'octobre 1987, l'opération s'avère en définitive bien plus positive que les auteurs veulent bien le reconnaître : d'ailleurs, les privatisations se poursuivent, sous forme partielle, sous les gouvernements de Michel Rocard, d'Édith Cresson et de Pierre Bérégovoy.

Intitulée « Libéralisation de l'État, mondialisation, nouvelle économie », la deuxième partie couvre les années 1993 à 2020. Son introduction met bien en place les lignes majeures de l'évolution. À l'échelle internationale se produisent des mutations majeures (effondrement du système socialiste et de l'URSS, explosion des nouvelles technologies de l'information et de la communication, instabilité monétaire et financière chronique, globalisation des marchés de l'argent). À l'échelle de l'Europe se produisent également d'importantes transformations : Jacques Delors, président de la Commission européenne de 1985 à 1995, mise en place d'un grand marché intérieur européen des biens, des capitaux et des services, signature du traité de Maastricht en 1992. Les conséquences en sont considérables en France : suppression du contrôle des changes et de l'encadrement du crédit en France dès 1990, indépendance de la Banque de France en 1993, intégration internationale de la Bourse française menant à la réaction d'Euronext en 2003. Avec le retour de la droite au pouvoir en 1993, les privatisations reprennent de plus belle. En revanche, contrairement à l'avis des auteurs, il est difficilement défendable de dater de 1993 le début du déclin de la politique d'innovation : pour avoir été un acteur de cette époque, le tournant se situerait plutôt en 1996-1997.

Le chapitre 4 traite de « Libéralisation ou « réforme de l'État ». La réélection de François Mitterrand en 1988 amène Michel Rocard aux fonctions de Premier ministre. Favorable au « renouveau du service public », il ouvre la voie au *New public management* et à un renforcement du transfert des tâches d'exécution des agences publiques sous contrat avec l'État: il s'agit de répondre à des crises spécifiques (lutte contre le sida), à l'émergence de nouvelles politiques publiques, de coordonner des politiques décentralisées ou de moderniser l'administration. La « crise de l'État providence (OCDE, 1980) conduit à la notion d' « État stratège », basée sur la distinction entre fonctions de régulation, qui lui incombent directement, et fonction d'opérateur, transférable à des services déconcentrés à compétence nationale et territorial : elle est au cœur de la campagne présidentielle de Jacques Chirac, en 1995, et de l'action de son Premier ministre, Alain Juppé. La nouveauté réside dans l'évolution de la gauche, revenue au pouvoir en 1997, dans le cadre d'une troisième cohabitation : la Lolf (Loi organique relative aux lois de finances) traduit une continuité avec l'action des gouvernements de droite. Cette dernière promeut une politique sécuritaire (lois d'octobre 1995, 2001 et 2003), basée sous la protection des victimes potentielles et l'extension de la notion de « délinquants ».

Tandis que se renforcent les restrictions à l'immigration, précarisation et flexibilité du travail s'accroissent : l'objectif est d'alléger les cotisations patronales pesant sur les bas salaires et le travail non qualifié afin de lutter contre le chômage de masse. Il s'ensuit aussi l'amorce d'un passage de l'assurance à l'assistance. Michel Rocard introduit le Revenu Minimum d'Insertion (RMI) et la Contribution Sociale Généralisée (CSG). L'évolution s'amplifie à partir de 1993 (début d'une réforme du régime des retraites) et, surtout, de 1995 (nouveau contrat de plan entre la SNCF et l'État). En résultent de nouvelles formes de mobilisation collectives, qui atteignent leur apogée en 1995, aboutissant au retrait du plan Juppé-Bergougnioux. Les auteurs tendent cependant à surestimer l'impact positif des 35 heures et à minimiser le poids des contraintes européennes, notamment pour la période 2002 à 2007.

Les auteurs posent un diagnostic sévère sur la présidence de Nicolas Sarkozy, de 2007 à 2012, dont la politique économique n'est qu'assez peu évoquée (chapitre 5). De fait l'exécutif s'est trouvé renforcé, mais au profit du seul Président de la République et au détriment du chef du gouvernement. En même temps, la mise en œuvre de la Révision générale des politiques publiques, confiée au ministère du Budget, conduit à la refonte des cartes militaire et judiciaire ainsi qu'à la création des Agences nationales de santé. Parce que l'équilibre budgétaire est inscrit dans la constitution depuis juillet 2008, l'objectif est désormais de renforcer les régions, de transformer les intercommunalités en agglomérations et de créer des conseillers territoriaux communs à la région et au département, mesure rapportée en 2012 par le gouvernement Ayrault, mais aussi de passer d'une fonction publique de statut à une autre, d'emploi. Jusqu'en 2008, les tentatives se sont heurtées à de fortes résistances (échec du CPE en 2006, puis d'une réforme Darcos de l'enseignement secondaire). Surtout 2009 voit la reconstitution d'un front commun entre les réformistes (CFDT, CFTC, CFCE-CGC, UNSA) et les protestataires (CGT, FSU, Solidaires, voire FO). Mais les mobilisations n'aboutissent plus : ainsi la loi Woerth de novembre 2010 relevant l'âge légal de la retraite jusqu'à 62 ans pour tous les salariés du public et du privé.

La logique de dérégulation se renforce (Loi programme pour la recherche de 2006, LRU de 2007, loi Hôpital, patients, santé et territoire de 2009, Grand emprunt et Programme investissement d'avenir de 2009). Tandis que l'État devient de plus en plus sécuritaire (durcissement des conditions d'accès des étrangers, restrictions au rapprochement familial, atteintes au respect de la vie privée par la multiplication des fichiers), les déficits s'aggravent par suite notamment de mesures favorables aux investisseurs (bouclier fiscal, allègement de l'impôt sur la fortune), surtout à partir de la crise économique de 2008-2009 : en 2010-2012, le déficit du budget atteint 4 % du PIB. Par ailleurs, malgré la politique d'accroissement du pouvoir d'achat des salariés (exonération des heures supplémentaires et des cotisations correspondantes des employeurs, le transfert des finances publiques vers les dépenses d'assistance s'accroît avec l'instauration du Revenu de Solidarité Active (RSA) en 2009.

Les auteurs témoignent de plus de mansuétude envers l'action de François Hollande (chapitre 6). Ce dernier se revendique, en mai 2012, au moment de son élection comme un héritier de mai 1968, d'où son appui à la libéralisation sociétale (loi Taubira de 2013 ouvrant le mariage et l'adoption aux couples homosexuels, plan contre les violences faites aux femmes, expérimentations scolaires comme l'ABCD de l'égalité, salles de *shoot*), mais aussi l'abrogation de la loi HPST (*vide supra*), au profit de la loi de modernisation du système de santé (Groupements hospitaliers de territoire, généralisation du tiers payant). Mais, surtout à partir de l'appel à Manuel Valls comme Premier ministre en 2014, la rupture n'est pas totale avec l'ère Sarkozy : pas de remise en cause de la Lolf, renoncement à renégocier le Pacte budgétaire européen, mise en œuvre du Pacte de responsabilité et de solidarité et du Crédit d'impôt compétitivité-emploi, loi Macron de 2015 et loi El Khomri de 2016. Le droit du travail devient ainsi « de moins en moins un droit de la protection du travail, mais de plus en plus un droit de la sécurisation du capital ». Malgré la fusion des régions, passées de 22 à 13 en 2015, la politique territoriale demeure inachevée (maintien du département). Surtout, les attentats de 2015 et 2016 poussent à constitutionnaliser l'État d'urgence, à renforcer les dispositions anti-terroristes, à maintenir une politique migratoire restrictive, à renoncer à la loi El Khomri et, pour François Hollande, à ne pas se représenter à l'élection présidentielle.

Avec l'élection d'Emmanuel Macron à la Présidence de la République en 2017, le libéralisme l'emporte. Il s'agit certes d'un libéralisme à la fois économique, sociétal et culturel, mais épousant aussi, dans une large mesure, les approches de la droite en matière européenne (respect du plafond de 3 % de déficit public) et intérieure (réduction du nombre de fonctionnaires, élévation de l'âge légal limite du départ à la retraite). Le nouveau Président incarne un État réduit à l'exécutif-expert. « Entrepreneur en chef des politiques publiques, revendiquant le soutien de la société civile, il attire dans son giron les syndicats réformistes (*vide supra*). Cependant, son « paritarisme étatisé » se fonde sur la marginalisation des élus locaux et des corps intermédiaires.

« Deux ans après... » (chapitre 7), cette pratique a engendré des mobilisations d'un type nouveau qu'atteste la grande grève de la SNCF, poursuivie durant cinquante jours, de décembre 2019 à février 2020, et justifiée à la fois par l'atteinte au statut et la réforme, plus large, du régime des retraites. Mais cette mobilisation est plus large à travers le mouvement des « gilets jaunes », issus eux-mêmes de la société civile. Celle-ci se fracture entre le nouveau monde des diplômés et des optimistes, et les autres, fragilisés, marginalisés par la mondialisation. Le gouvernement, pour la première fois, se trouve contraint, sinon au renoncement, tout au moins au contournement. Cette situation découle du durcissement accru de l'État régalien : fermeture de services publics en ville et à la campagne, réduction brutale des effectifs, renforcement de l'exécutif expert, en dépit de la recherche de liens présumés directs avec la société civile (Grand débat, Conférence citoyenne pour le climat), marginalisation accrue des maires et des syndicats de salariés, renforcement de la politique sécuritaire. Cela s'accompagne d'une régression confirmée de l'État régulateur, mais aussi d'une poursuite du « détricotage » de l'État social autour de ses deux pans majeurs jusqu'ici les plus résilients, l'assurance chômage et le système des retraites. Par ailleurs, les interrogations demeurent entières face à la capacité du macronisme à apporter une solution aux questions environnementales et d'immigration. Certes, l'État du nouvel âge global n'est pas nécessairement en déclin, mais il souffre en profondeur de la fragilisation du système politique et d'une crise transnationale du politique, qui se nourrit de l'alourdissement de la pression exercée sur les classes moyennes ainsi que de l'approfondissement du fossé riches-pauvres.

Dominique Barjot
Sorbonne Université

Mervyn King, 2016
The End of Alchemy: Money, Banking and the Future of the Global Economy
London, Bloomsbury, 2017, 430 p.

Lord Mervyn A. King est diplômé de Cambridge en économie. Chercheur et enseignant dans plusieurs universités, il fut recruté comme professeur par la *London School of Economics* (*LSE*). Il entra à la Banque d'Angleterre en 1990 en tant qu'administrateur sans pouvoir exécutif, et accéda au poste de Gouverneur en 2003, fonction qu'il occupa jusqu'en 2013 avec celle de président du Comité de la politique monétaire. Depuis septembre 2014, il est professeur d'économie à l'Université de New York et à la *LSE*.

Dix huit mois après la publication de l'édition de décembre 2016, l'auteur note, dans la longue préface de l'édition de 2017, que la reprise économique n'est toujours pas au rendez-vous dans de nombreux pays industrialisés, ce qui conduit les banques centrales à utiliser des mesures non conventionnelles, comme les taux d'intérêt négatifs, et qu'en dépit des très nombreuses réglementations mises en place depuis la crise financière de 2007-2008, les systèmes bancaires restent fragiles.

Lord King était aux commandes pendant la période de stabilité qui précéda la crise, durant la crise elle-même, puis la récession qui suivit. Son ouvrage ne veut pas être un livre supplémentaire sur la crise financière de 2007-2008, même si celle-ci sous-tend l'analyse, mais plutôt un ouvrage sur les idées économiques. Il explique dans l'introduction que l'alchimie financière, à la base du système bancaire depuis plusieurs siècles, renvoie au fait que la monnaie papier peut se substituer à l'or ou l'argent, que les dépôts dans les banques peuvent être retirés à n'importe quel moment, qu'ils sont transformés par les banques en prêts à long terme peu liquides, que la confiance dans la monnaie, quelle que soit sa forme, dépend de la confiance dans l'émetteur, et que pour qu'il y ait confiance dans la monnaie papier, les gouvernements ne doivent pas abuser de leur pouvoir de battre monnaie. Il s'avère que « [...] la monnaie et le système bancaire, les alchimistes de l'économie de marché, sont devenus son talon d'Achille » (p. 5), car cette alchimie, si indispensable au fonctionnement des économies développées, est la cause d'une instabilité qui les met dans une situation de grande fragilité.

Quatre concepts-clés sous-tendent l'analyse : le déséquilibre caractéristique de l'évolution de l'économie mondiale depuis la chute du Mur, l'incertitude radicale, qui rend impossible la représentation du futur à partir d'une liste exhaustive de scénarios probabilisables ; le dilemme du prisonnier, qui renvoie à la difficulté d'obtenir le meilleur résultat possible quand la coopération est impossible ; et la confiance, qui est indispensable au bon fonctionnement de l'économie de marché.

Les sept premiers chapitres traitent de la monnaie, des banques, des marchés financiers, et des banques centrales et les deux derniers de l'économie mondiale et de la prochaine crise financière. Le chapitre 1 retrace l'histoire financière récente du Royaume-Uni dans un monde globalisé, et pose trois questions :

1. Pourquoi rien n'a été fait alors qu'il était évident avant la crise que l'économie mondiale était sur un sentier de croissance insoutenable ?

2. Pourquoi si peu a été fait après la crise pour modifier la structure du secteur bancaire au plan mondial, le renforcement de la réglementation n'étant pas suffisant ?

3. Pourquoi la demande mondiale est restée faible ? Le chapitre 2 traite de la monnaie, dont le rôle échappe à toute analyse théorique rigoureuse depuis plus de deux siècles, et de sa relation avec l'activité bancaire. L'altération des monnaies, et les situations d'hyperinflation conduisent à se demander pourquoi il est si difficile de parvenir à la stabilité des prix. L'autre idée importante est que les gouvernements ont laissé la monnaie, bien public par excellence, devenir un sous-produit de la création monétaire d'institutions du secteur privé, c'est-à-dire des banques. Pourquoi ? Le chapitre 3 porte sur les banques, dont l'activité a beaucoup évolué depuis la déréglementation des années 1980. Avant la crise, elles furent confrontées, comme les décideurs politiques pendant la crise, au dilemme du prisonnier, c'est-à-dire à la décision de coopérer ou non. Pour Lord King, il est nécessaire d'adapter la fonction de prêteur en dernier ressort définie par Bagehot en 1873, pour faire face à la concentration et à l'énorme croissance du secteur bancaire. Le chapitre 4 s'intéresse à l'incertitude radicale et aux conséquences liées à l'impossibilité pour les modèles de prévision de prédire exactement le risque. Après une longue analyse des produits dérivés, l'auteur aborde la nécessité pour tous les acteurs, banques centrales incluses,

de développer des stratégies d'adaptation face à l'incertitude. Le chapitre 5 retrace l'évolution des pratiques des banques centrales, depuis leur création au XVIIe siècle jusqu'à aujourd'hui, et montre qu'elles ont su tirer les leçons de chaque crise bancaire. Le chapitre 6 s'intéresse au lien existant entre l'État nation et la monnaie. Après avoir commenté le concept de zone monétaire optimale de Robert Mundell (1961), Lord King analyse plusieurs zones monétaires, en particulier l'Union Economique et Monétaire (UEM) sur le continent européen, l'Irak où circulaient deux monnaies entre les deux guerres du Golfe, et le cas de l'Écosse si elle devenait indépendante. Dans le chapitre 7, l'auteur fait part de ses idées pour réformer structurellement l'activité bancaire, ce qui implique de mettre fin à l'alchimie bancaire, afin « [...] que les risques inhérents à la monnaie et à l'activité bancaire soient correctement identifiés et supportés par ceux qui profitent des avantages du système financier » (p. 251). Pour augmenter la stabilité du système financier, il est nécessaire de s'intéresser aux deux problèmes à l'origine d'une crise financière : celui de la liquidité et celui de la solvabilité, qu'il est parfois difficile de distinguer en raison de la très grand concentration du secteur. King suggère que, pour garantir la solvabilité des institutions financières, on les oblige à déposer, en continu, des titres de collatéral auprès des banques centrales ce qui leur permettrait d'obtenir des fonds à la demande, et ferait évoluer la fonction de prêteur en dernier ressort vers celle de « prêteur sur gage en toute saison » (*prawnbroker for all seasons*, PFAS). Les deux derniers chapitres, moins techniques, servent de conclusion à l'ouvrage. Le chapitre 8 s'intéresse à l'évolution de la macroéconomie, au débat entre keynésiens et nouveaux classiques, dont les théories n'ont pas été capables de donner une explication adéquate des périodes de croissance et de crise, et à l'apport de Hyman Minsky, très pertinent pour expliquer la crise financière de 2007-2008, car il montre que l'origine des crises est endogène aux économies capitalistes modernes, en d'autres termes qu'une période de stabilité économique conduit nécessairement à une phase d'instabilité, la stabilité poussant les agents à prendre davantage de risque. Enfin, dans le dernier chapitre, l'auteur donne quelques pistes pour faire face aux déséquilibres macroéconomiques actuels. La dette souveraine restera un problème en Europe et dans les pays émergents pendant longtemps. Concernant la zone euro, dont le fonctionnement freine la croissance et maintient le chômage à un niveau élevé, l'auteur pense que le *statu quo* n'est pas une option viable à long terme, et que l'Allemagne va devoir choisir entre renoncer au projet d'union monétaire ou adopter une politique de solidarité envers les pays qui connaissent des déficits récurrents. Quant à l'économie mondiale, dans un contexte géopolitique caractérisé par l'incertitude, seule la coopération entre les pays, qui contribuerait à résoudre le dilemme du prisonnier, permettrait d'atteindre une situation plus soutenable dans le long terme, ce que l'auteur appelle l'« audace du pessimisme ».

Même si les redites ne permettent pas toujours de se repérer dans la progression de l'analyse, et si celle-ci laisse une impression d'un ouvrage quelque peu décousu, celui-ci, très riche en références historiques, n'en vaut pas moins la peine d'être lu si l'on s'intéresse à l'avenir de l'économie mondiale dans un environnement géopolitique incertain. En réhabilitant l'incertitude, l'auteur montre qu'au bout du compte l'alchimie ne pourra jamais être totalement éliminée en raison de la permanence de l'incertitude.

Marie-Claude Esposito
Sorbonne Nouvelle

REVUE FRANÇAISE
D'HISTOIRE ÉCONOMIQUE

N° 14

Livres reçus

THE FRENCH ECONOMIC
HISTORY REVIEW

N° 14

Books received

RICHARD ADELSTEIN, *The Rise of Planning in Industrial America, 1865-1914*, London, Routledge, 2016, 260 p.

MICHEL AGLIETTA, dir., *Capitalisme, le temps des ruptures*, Paris, Odile Jacob, 2019, 592 p.

TIMOTHY ALBORN, *All That Glittered: Britain's Most Precious Metal from Adam Smith to the Gold Rush*, Oxford, Oxford University Press, 2019, 272 p.

ROBERT Z. ALIBER, CHARLES P. KINDLEBERGER, *Manias, Panics, and Crashes: A History of Financial Crises, Seventh Edition (English Edition)*, Basingstoke, Palgrave Macmillan, 2017, 442 p.

LUCIANO AMARAL, *The Modern Portuguese Economy in the Twentieth and Twenty-First Centuries*, Basingstoke, Palgrave Macmillan, 2019, 348 p.

MARC BADIA-MIRÓ, Vicente PINILLA, Henry WILLEBALD, *Natural Resources and Economic Growth: Learning from History*, London, Routledge, 2018, 374 p.

LAURENCE M. BALL, *The Fed and Lehman Brothers: Setting the Record Straight on a Financial Disaster*, Cambridge, Cambridge University Press, 2018, 280 p.

CLAUDIO BELINI *et alii*, *Empresarios y Estado en Argentina. Politica y economia*, Buenos Aires, Lenguaje claro Editora, 2020, 354 p.

HANNAH BARKER, *Family and Business during the Industrial Revolution*, Oxford, Oxford University Press, 2017, 280 p.

GÉRARD BÉAUR et LAURE QUENNOUËLLE-CORRE, dir., *Les crises de la dette publique XVIIIe-XXIe siècle*, Paris, IGPDE Éditions Publications, 2019, 534 p.

JASON BEGLEY, TOM DONNELLY, DAVID JARVIS, PAUL SISSONS, eds., *Revival of a City: Covenry in a Globalising World*, Basingstoke, Palgrave Macmillan, 2019, 276 p.

ROBERT J. BENNETT, *Documents of the First chambers of Commerce in Britain and Ireland, 1767-1839*, Oxford, Oxford University Press, 2018, 600 p.

FABRICE BENSIMON, *Les sentiers de l'ouvrier. Le Paris des artisans britanniques (autobiographiques,1815-1850). Textes de John Colin, Charles Manby Smith et William Duthie*, Paris, PUPS, 2017, 136 p.

CHRISTOPHER J. BERRY, *Adam Smith: A Very Short Introduction*, Oxford, Oxford University Press, 2018, 152 p.

KENNETH BERTRAMS, JULIEN DEL MARMOL, SANDER GEERTS, POELMANS ELINE, *Becoming the World's Biggest Brewer*, Oxford, Oxford University Press, 2019, 416 p.

ANDY RYAN RAYMOND BIELENBERG, *An Economic History of Ireland Since Independence*, London, Routledge, 2016, 282 p.

ULRICH BINDSEIL, *Central Banking before 1800: A Rehabilitation*, Oxford, Oxford University Press, 2019, 226 p.

JEAN-PAUL BLED, *De Gaulle. L'Homme du siècle*, Paris, Éditons du Cerf, 2020, 358 p.

MATTHIAS BLUM, CHRISTOPHER L. COLVIN, eds, *An Economist's Guide to Economic History*, Basingstoke, Palgrave Macmillan, 2018, 479 p.

ALLEN BOLLARD, *Economists at War: How a Handful of Economists Helped Win and Lose the World Wars*, Oxford, Oxford University Press, 2019, 352 p.

HUBERT BONIN, *Saint-Gobain et ses banquiers (1914-2000) : Les enjeux et méthodes du financement d'une grande entreprise*, Genève, Librairie Droz, 2020, 192 p.

HUBERT BONIN, *French Banking and Entrepreneurialism in China and Hong Kong from the 1890s to 1950s*, London, Routledge, 2019, 200 p.

MELISSA MERIAM BULLARD, *Brooklyn's Renaissance: Commerce, Culture, and Community in the Nineteenth-Century Atlantic World*, Basingstoke, Palgrave Macmillan, 2017, 458 p.

STÉPHANIE BURGAUD, *Bismarck. La démesure*, Paris, Ellipses, 2019, 312 p.

ENRIQUETA CAMPS-CURA, *Changes in Population, Inequality and Human Capital Formation in the Americas in the Nineteenth and Twentieth Centuries*, Basingstoke, Palgrave Macmillan, 2019, 159 p.

CHRISTOPHE CAPUANO, *Que faire de nos vieux ? Une histoire de la protection sociale de 1880 à nos jours*, Paris, Presses de Sciences Po, 2018, 352 p.

ANDREA CARACAUSI, NICOLETTA ROLLA, MARCO SCHNYDER, dir., *Travail et mobilité en Europe (XVIe-XIXe siècles)*, Villeneuve d'Ascq, Presses universitaires du Septentrion, 2018, 270 p.

FABIEN CARDONI, dir., *Les banques françaises et la Grande Guerre*, Paris, IGPDE Éditions Publications, 2019, 290 p.

FAUSTO PIOLA CASELLI, ed., *Government Debts and Financial Markets in Europe*, London, Routledge, 2016, 256 p.

YOUSSEF CASSIS, GIUSEPPE TELESCA, *Financial Elites and European Banking*, Oxford, Oxford University Press, 2018, 288 p.

YOUSSEF CASSIS, RICHARD S. GROSSMAN, CATHERINE SCHENCK, eds, *The Oxford Handbook of Banking and financial History*, 1st Edition, Oxford, Oxford University Press, 2016, 552 p.

ÉLISABETH CHABANOL, dir., *Souvenirs de Séoul. Destins croisés France-Corée de 1886 aux années 1950*, Paris, Atelier des Cahiers, 2019, 160 p.

NEIL COFFEE, *Gift and Gain: How Money Transformed Ancient Rome*, Oxford, Oxford University Press, 2017, 312 p.

SILVIA A. CONCA MESSINA, STÉPHANE LE BRAS, PAOLO TEDESCHI, eds, *A History of Wine in Europe, 19th to 20th Centuries, Volume I: Winegrowing and Regional Features*, Basingstoke, Palgrave Macmillan, 2019, 320 p.

SILVIA A. CONCA MESSINA, STÉPHANE LE BRAS, PAOLO TEDESCHI, eds, *A History of Wine in Europe, 19th to 20th Centuries, Volume II: Markets, Trade and Regulation of Quality*, Basingstoke, Palgrave Macmillan, 2019, 292 p.

JAMES W. CUMMINGS, *Towards Modern Public Finance: The American War with Mexico, 1846-1848*, London, Routledge, 2016, 240 p.

SYLVIANE DE SAINT SEINE, *la Banque d'Angleterre : une marche erratique vers l'indépendance 1977-2007*, Paris, Les Presses de Sciences Po, 2017, 518 p.

FLORENCE DESCAMPS, ROGER NOUGARET, LAURE QUENNOUELLE-CORRE, dir., *Banque et société XIXe-XXIe siècle* : identités croisée. Hommage à Pierre de *Longuemar*, Bruxelles, Peter Lang, 2016, 319 p.

JESSICA DIJKMAN, BAS VAN LEEUWEN, *An Economic History of Famine Resilience*, London, Routledge, 2019, 14 p.

LAURENT DINGLI, *Entreprises dans la tourmente. Renault, Peugeot, 1936-1940*, Tours, Presses universitaires François-Rabelais, 2018, 364 p.

KENNETH DYSON, IVO MAES, *Architects of the Euro*, Oxford, Oxford University Press, 2016, 336 p.

TUFAN EKICI, *The Political and Economic History of North Cyprus: A Discordant Polity*, Basingstoke, Palgrave Macmillan, 2019, 283 p.

ØYVIND EITRHEIM, JAN TORE KLOVLAND, LARS FREDRIK ØKSENDAL, *A Monetary History of Norway, 1816-2016*, Cambridge, Cambridge University Press, 2016, 654 p.

OLIVIER FEIERTAG et MICHEL MARGAIRAZ, dir., *Banques Centrales dans la Grande Guerre*, Paris, Les Presses de Sciences Po, 2019, 319 p.

CONAN FISHER, *A Vision of Europe: Franco-German Relations during the Great Depression, 1929-1932*, Oxford, Oxford University Press, 2017, 224 p.

EMMANUEL FUREIX et FRANÇOIS JARRIGE, *La modernité désenchantée, relire l'histoire du XIXe siècle français*, Paris, La Découverte, 2020, 420 p.

HARRY GELBER, *Battle for Beijing, 1858-1860: Franco-British Conflict in China*, Basingstoke, Palgrave Macmillan, 2016, 244 p.

THIBAUD GIDDEY, *Histoire de la régulation des banques en Suisse (1914-1972)*, Genève, Librairie Droz, 2019, 576 p.

GEORGINA M. GÓMEZ, *Monetary Plurality in Local, Regional and Global Economies*, London, Routledge, 2018, 292 p.

ALLAN GREENSPAN and ADRIAN WOOLDRIDGE, *Capitalism in America*, London, Penguin Press, 2018, 496 p.

ÉRIC GEERKENS *et alii*, *Les enquêtes ouvrières dans l'Europe contemporaine*, Paris, La Découverte, 2019, 448 p.

SONGHO HA, *The Rise and Fall of the American System Nationalism and the Development of the American Economy, 1790-1837*, London, Routledge, 2016, 208 p.

FLORENCE HACHEZ-LEROY, *Menaces sur l'alimentation : Emballages, colorants et autres contaminants alimentaires, XIXe-XXe siècle*, Tours, Presses universitaires François Rabelais, 2019, 348 p.

JOHN HATCHER & JUDY Z. STEPHENSON, *Seven Centuries of Unreal Wages*, Basingstoke, Palgrave Macmillan, 2018, 332 p.

CLYDE A. HAULMAN, *Virginia and the Panic of 1819: The First Great Depression and the Commonwealth*, London, Routledge, 2016, 256 p.

LAURENT HERMENT, dir., *Histoire rurale de l'Europe (xvie-xxe siècle)*, Paris, Editions de l'EHESS, En temps & lieux, 87, 2019, 335 p.

ELLEN HILLBOM, ERIK GREEN, *An Economic History of Development in sub-Saharan Africa*, Basingstoke, Palgrave Macmillan, 2019, 286 p.

PETER M. JONES, *Agricultural Enlightenment: Knowledge, Technology, and Nature, 1750-1840*, Oxford, Oxford University Press, 2016, 288 p.

SEONG HO JUN, *Agriculture and Korean Economic History*, Basingstoke, Palgrave Macmillan, 2019, 215 p.

NIALL KISHTAINTY, *A Little History of Economics*, Yale University Press 2017, trad. française : *Une petite histoire de l'**économie***, Louvain La Neuve, De Boeck, 2019, 352 p.

RICHARD A. KLEER, *Money, Politics and Power: Banking and Public Finance in Wartime England, 1694-96*, London, Routledge, 2017, 236 p.

JOHANNES KNIERZINGER, *Bauxite Mining in Africa. Transnational Corporate Governance and Development*, Palgrave Macmillan, 2018, 288 p.

ULLA KYPTA, JULIA BRUCH, TANJA SKAMBRAKS, eds, *Methods in Premodern Economic History*, Basingstoke, Palgrave Macmillan, 2019, 509 p.

MICHEL LESCURE, dir., *Le crédit inter-entreprises en Europe*, Paris, IGPDE Éditions Publications, 2019, 210 p.

MICHEL LESCURE et MICHAEL MOSS, dir., *Aspects of Corporate Finance : Inter-firm Lending. Explorations from a Modern European Perspective*, Paris, IGPDE Éditions Publications, 2019, 210 p.

ISABELLE LESPINET-MORET, LAURE MACHU et VINCENT T. VIET, dir., *Les Mains-d'œuvre en guerre, 1914-1919*, Paris, La Documentation française, 2018, 437 p.

DAVID M. LEWIS, *Greek Slave Systems in their Eastern Mediterranean Context, c.800-146 BC*, Oxford, Oxford University Press, 2018, 384 p.

MARTIAL LIBERA, *Diplomatie patronale aux frontières avec leurs homologues allemandes (1945 - milieu des années 1980)*, Genève, Librairie Droz, 2019, 472 p.

JAN LOGEMANN, GARRY CROSS, INGO KÖHLER, eds, *Consumer Engineering, 1920s-1970s*, Basingstoke, Palgrave Macmillan, 2019, 296 p.

JAN LUITEN VAN ZANDEN, SARAH CARMICHAEL, TINE DE MOOR, *Capital Women (The European Marriage Pattern, Female Empowerment and Economic Development in Western Europe 1300-1800)*, Oxford, Oxford University Press, 2019, 288 p.

IVAN LUZARDO-LUNA, *Colombia's Slow Economic Growth*, Basingstoke, Palgrave Macmillan, 2019, 154 p.

LARS MAGNUSSON, *The Political Economy of Mercantilism*, London, Routledge 2018, 230 p.

PETER MCCAWLEY, *Banking on the Future of Asia and the Pacific: 50 Years of the Asian Development Bank*, Asian Development Bank, 2017 (second edition), 550 p.

JOHN RAMSEY MCCULLOCH, ed., *A Select Collection of Scarce and Valuable Tracts and Other Publications on Paper Currency and Banking: From the Originals of Hume, Wallace, Thornton,...*, Cambridge, Cambridge University Press, 2018, 710 p.

RAOUL MCLAUGHLIN, *The Roman Empire and the Silk Routes: The Ancient World Economy & the Empires of Parthia, Central Asia & Han China*, Barnsley, Pen & Sword History, 2016, 2019, 282 p.

LUCA MOCARELLI & GIULIO ONGARO, *Work in Early Modern Italy, 1500-1800*, Basingstoke, Palgrave Macmillan, 2019, 148 p.

ASHOKA MODY, *Euro Tragedy: a Drama in Nine Acts*, Oxford, Oxford University Pres, 2018, 674 p.

JOEL MOKYR, *A Culture of Growth: The Origins of the Modern Economy*, Princeton, Princeton University Press, 2016, 400 p.

KATE MURPHY, *Behind the Wireless: a History of Women at the BBC*, Basingstoke, Palgrave Macmillan, 2016, 295 p.

CLAUDE MEYER, *L'Occident face à la renaissance de la Chine. Défis économiques, géopolitiques et culturels*, Paris, Odile Jacob, 2018, 334 p.

SCOTT NATIONS, *A History of the United States in Five Crashes: Stock Market Meltdowns That Defined a Nation*, New York, William Morrow Paperbacks, 2018, 352 p.

DEEPAK NAYYAR, *Asian Transformations: An Inquiry into the Development of Nations*, Oxford, Oxford University Press, 2019, 608 p.

LARRY NEAL, RONDO CAMERON, *A Concise Economic History of the World*, 5th edition, Oxford, Oxford University Press, 2016, 496 p.

CHIKAYOSHI NOMURA, *The House of Tata Meets the Second Industrial Revolution: An Institutional Analysis of Tata Iron and Steel Co. in Colonial India*, New York, Springer, 2018, 287 p.

RENATE PIEPER, JEFFERIES CLAUDIA DE LOZANNE, MARKUS DENZEL, eds., *Mining, Money and Markets in the Early Modern Atlantic*, Basingstoke, Palgrave Macmillan, 2919, 368 p.

MICHEL PIGENET et MICHEL MARGAIRAZ, *Le prix du travail, France et espaces coloniaux, XIXe-XXIe*, Paris, Éditions de la Sorbonne, 2019, 248 p.

THOMAS PIKETTY, *Capital et idéologie*, Paris, Seuil, 2019, 1232 p.

GIORGIO PIZZUTTO, *The US Financial System and its Crises: From the 1907 Panic to the 2007 Crash*, Basingstoke, Palgrave Macmillan, 2919, 219 p.

INDRAJIT RAY, *The Development of Modern Industries in Bengal: Reindustrialisation, 1858-1914*, London, Routledge, 2018, 276 p.

KLAS RÖNNBÄCK & OSKAR BROBERG, *Capital and Colonialism: The Return on British Investments in Africa 1869-1969*, Basingstoke, Palgrave Macmillan, 2019, 402 p.

W. RONSIJN, N. MIGNEMI, L. HERMENT, eds, *Stocks, seasons and sales: Food supply, storage and markets in Europe and the New World, c. 1600-2000*, Turnhout (BE), Brepols Publishers NV, 2019, 224 p.

JOAN RAMÓN ROSÉS, Nikolaus WOLF, eds, *The Economic Development of Europe's Regions A Quantitative History since 1900*, London, Routledge, 2018, 436 p.

TIRTHANKAR ROY, *How British Rule Changed India's Economy*, Basingstoke, Palgrave Macmillan, 2019, 159 p.

THOMAS MAX SAFLEY, *Family Firms and Merchant Capitalism in Early Modern Europe: The Business, Bankruptcy and Resilience of the Höchstetters of Augsburg*, London, Routledge, 2019, 288 p.

SÉBASTIEN SAUVÉ, *et al.*, L'Économie circulaire. Une transition incontournable, Presses de l'université de Montréal, 2017, 189 p.

ERIC SCHLIESSER, *Adam Smith: Systematic Philosopher and Public Thinker*, Oxford, Oxford University Press, 2017, 432 p.

JENNIFER SIEGEL, *For Peace and Money: French and British Finance in the Service of Tsars and Commissars*, Oxford, Oxford University Press, 2017, 328 p.

ALESSANDRO STANZIANI, *Debt and Slavery in the Mediterranean and Atlantic Worlds*, London, Routledge, 2016, 208 p.

JESSE STILLER, *Banking Modern America: Studies in Regulatory History*, London, Routledge, 2016, 158 p.

TOBIAS STRAUMANN, *1931: Debt, Crisis, and the Rise of Hitler*, Oxford, Oxford University Press, 2019, 272 p.

CARLES SUDRIÀ, Yolanda BLASCO-MARTEL, *The Origins of Modern Banking in Spain: The Role of Monetary Plurality*, London, Routledge, 2019, 192 p.

CHRIS SWINSON, *Share Trading, Fraud and the Crash of 1929: A Biography of Clarence Hatry*, London, Routledge, 2019, 212 p.

CHRIS SWINSON, *Regulation of the London Stock Exchange: Share Trading, Fraud and Reform 1914-1945*, London, Routledge, 2017, 242 p.

ELISE VAN NEDERVEEN MEERKERK, *Women, Work and Colonialism in the Netherlands and Java*, Basingstoke, Palgrave Macmillan, 2919, 283 p.

SÉBASTIEN VOSGIEN, *Gouverner le commerce au XVIIIe siècle. Conseil et Bureau du commerce*, Paris, IGPDE Éditions Publications, 2017, 566 p.

REVUE FRANÇAISE
D'HISTOIRE ÉCONOMIQUE

N° 14

Biographie des auteurs

THE FRENCH ECONOMIC
HISTORY REVIEW

N° 14

About the Authors

DOMINIQUE BARJOT est professeur d'Histoire économique contemporaine à la Faculté de Lettres de Sorbonne Université (anciennement Paris IV - Paris Sorbonne). Membre de l'Académie des Sciences d'Outre-mer, il est ancien directeur de l'école doctorale 188 d'Histoire moderne et contemporaine directeur adjoint fondateur de l'UMR 8596 Centre Roland Mousnier du CNRS. Ancien président de l'Association Française des Historiens économistes. Il est l'auteur de nombreux ouvrages et articles de revue, parmi lesquels récemment : *La Grande Entreprise Française de Travaux Publics*, Paris, Economica, 2006 ; dir. « Où va l'histoire des entreprises ? », *Revue économique*, 58, n°1, January 2007 ; dir., *Deux guerres totales 1914-1918 1939-1945. La mobilisation de la nation*, Economica, 2011; dir., « Les entreprises françaises d'ingénierie face à la compétition internationale », *Entreprises et Histoire*, June 2013, n°71; avec Harm G. Schroeter, dir., "Economic Cooperation Reconsidered", *Revue économique*, vol. 6, novembre 2013 ; *Bouygues. Les ressorts d'un destin entrepreneurial*, Paris, Economica, 2014; "The Construction Industry in the 20th Century: An International Interfirm Comparison", *Revue Française d'histoire économique - The French Economic History Review*, n° 1, septembre 2014; avec Harm G. Schroeter, dir., « La circulation de l'information et des connaissances », *Entreprises et Histoire*, June 2014, n°75; avec Marco Bertilorenzi, dir., *Aluminium. Du métal de luxe au métal de masse (XIXe-XXIe siècle) - From Precious Metal to Mass Commodity (19th-21st century)*, Paris, PUPS, 2014; dir., « Cartels et régulation des crises », *Entreprises et Histoire*, septembre 2014, n° 75; Ed., "Globalization, national patterns of development and strategies of firms (19th-21st centuries) - Mondialisation, modèles nationaux de développement et stratégies d'entreprises (XIXe-XXIe siècles)", *Revue Française d'histoire économique - The French Economic History Review*, n°1, mai 2015 ; avec Harm G. Schröter, eds. « Informationsfluss in Organisationen. Theorien zum Informationstransfer und historische Praxis », *Jahrbuch für Wirtschaftsgeschichte*, 2015, 56 (1) ; dir., "Local development and global strategies of two multinationals of two multinationals of the industry of the aluminium in the 20th century: Alcan and Pechiney". « Développement local et stratégie globale de deux multinationales de l'aluminium au XXe siècle : Alcan et Pechiney », *Revue Française d'histoire économique - The French Economic History Review*, n° 4-5 (n° 2, novembre 2015, n° 1, janvier 2016) ; avec Phan Thi Hoai Trang, dir., Économie et Développement durable : Héritages historiques et défis actuels au sein du monde francophone, Paris, Publications de la Société Française d'Histoire d'Outre-Mer (SFHOM), 2016 ; avec Marie-Claude Esposito et Lu Yimin, dir., *Mondialisation, modèles nationaux de développement et stratégies d'entreprises XIXe-XXIe siècles. Globalization, national patterns of development and strategies of firms (19th-21st centuries)*, Paris, SPM, 2016 ; avec Olivier Dard, Frédéric Fogacci et Jérôme Grondeux, dir., *Histoire de l'Europe libérale. Libéraux et libéralisme en Europe XVIIIe-XXIe siècle*, Paris, Nouveau Monde Éditions, 2016.

NATHALIE ANNA CHAMPROUX est professeure de Civilisation britannique à l'Université de Tours et membre du laboratoire « Interactions culturelles et discursives » (ICD) - EA 6297. Après une thèse sur « Les gouvernements conservateurs britanniques face au Système monétaire européen de 1979 à 1997 » soutenue en 2000 à l'Université Sorbonne Nouvelle, elle a continué à s'intéresser à la politique monétaire britannique : la construction de la position britannique vis-à-vis de l'idée de monnaie européenne commune puis de l'euro ; la Stratégie financière à moyen terme instaurée en 1979, l'adoption du ciblage direct de l'inflation en 1992 et l'évolution de la politique monétaire depuis la crise de 2008

THIERRY CLAEYS est docteur en histoire, ingénieur d'études en analyse de sources historiques et culturelles de la Faculté de Lettres de Sorbonne Université (anciennement Paris IV - Paris Sorbonne), membre de l'IRCOM - Centre Roland Mousnier. Il a publié le Dictionnaire biographique des financiers en France au XVIIIe siècle paru aux Éditions S.P.M., en 2008 et réédité en 2011 (2 volumes), ainsi que *Les Institutions financières de la France au XVIIIe siècle*, aux Éditions S.P.M., en 2011 (2 volumes). Actuellement, il prépare un dictionnaire en plusieurs volumes sur les banques et banquiers à Paris, couvrant une période de plus de deux siècles, s'arrêtant à la veille de la Première Guerre mondiale. Auteur d'articles scientifiques consacrés aux investissements et transferts technologiques français en Russie de 1857 à 1914.

GEORGES EL DACCACHE, originaire du Liban, est docteur de Sorbonne Université. Il a soutenu, en décembre 2019, une thèse en histoire économique sur « La Banque de Syrie et du Liban, levier de développement ou impérialisme français ? » sous la direction du Professeur Dominique Barjot. Pianiste, organiste et compositeur de métier, il est titulaire du diplôme d'État en piano du Pôle supérieur d'Île-de-France au conservatoire d'Aubervilliers. Il est actuellement professeur de piano au Conservatoire de Lagny-sur-Marne et à l'Institut musical Suzuki de Paris. Il est l'organiste de la cathédrale Notre-Dame du Liban à Paris. À son actif plusieurs concerts au Liban, en Europe et en Amérique du Sud.

MARIE-CLAUDE ESPOSITO, Professeur émérite de Civilisation britannique à la Sorbonne Nouvelle, est l'auteur de plusieurs ouvrages et de très nombreux articles sur l'économie du Royaume-Uni, en particulier la *City* et les aspects financiers, ainsi que sur les questions monétaires britanniques et européennes. Elle a publié en 2013, en coauteur avec Philippe Chassaigne, *Londres la ville-monde*, et coordonné, avec Christine Manigand, en 2015, *L'Union européenne : un espace politique à la croisée des chemins*. Parmi les chapitres d'ouvrages et les articles très récents, on retiendra : « Margaret Thatcher et les marchés financiers : le paradoxe de la déréglementation », *Revue Française de Civilisation Britannique*, n° XXIV-4, 2019 ; « La supervision du secteur financier britannique : les leçons de la crise de 2007-2008 et le pari risqué du Brexit pour la *City* », *Revue Française de Civilisation Britannique*, n° XXI-2, 2016 ; « L'irrésistible ascension de la place financière de Londres depuis le milieu des années 1950 », *Revue Outre-Terre*, n° 46, 2016/1.

OLIVIER FEIERTAG est professeur d'Histoire économique et sociale à l'université de Paris 1 Panthéon Sorbonne. Il a récemment publié : « Le sens de la mondialisation : surveillance bancaire et globalisation financière du XXe au XXIe siècle » (avec Alexis Drach), *Monde(s)*, n° 13, mai 2018, p. 133-154 ; *Les banques d'émission dans la Grande Guerre : la naissance des banques centrales*, (dir. avec M. Margairaz), Paris, Presses de Sciences Po, 2019 ; « Le tournant de la libéralisation financière (1984-1988) : Big Bang à la française ? », *in Les années d'alternance (1984-1988)*, actes du colloque des 21 et 22 janvier 2016, Paris, Nouveau Monde, 2019, p. 511-536.

FRÉDÉRIK GRÉLARD, adjoint du responsable du Pôle Gestion et archivage des documents au sein du Service du patrimoine historique et des archives de la Banque de France. Archiviste à la Banque de France depuis 2002, titulaire d'un DEA d'histoire de l'Institut d'études politiques de Paris (2001) L'accommodation sociale de la Caisse des dépôts et consignations sous l'Occupation et ses effets sur le moyen terme (1932-1953) sous la direction du Professeur Jean-Pierre Azéma.

ARNAUD MANAS dirige le service du patrimoine historique et des archives de la Banque de France. Ingénieur, docteur en économie et en histoire, il est chercheur associé à l'université de Paris 1 Panthéon Sorbonne (IDHE.S). Ses travaux portent principalement sur l'histoire monétaire française et celle de la Banque de France. Il est l'auteur de plusieurs livres (*L'or de Vichy*, *Zweig & la Souterraine*, *La Galerie dorée de la Banque de France*). Ses recherches portent notamment sur l'histoire du faux-monnayage ainsi que sur le patrimoine artistique et culturel de la Banque de France.

SYLVIANE DE SAINT SEINE, chercheuse associée à la Sorbonne Nouvelle et titulaire d'un doctorat en études du monde anglophone de l'Université Sorbonne Nouvelle, a travaillé comme journaliste économique et financière notamment pour l'agence Reuters à Londres. Elle est l'auteur de « La Banque d'Angleterre, une marche erratique vers l'indépendance », publié en 2017 par SciencesPo les Presses.

SAMIR SAUL est professeur d'histoire à l'université de Montréal. Il est l'auteur de : *Intérêts économiques français et décolonisation de l'Afrique du Nord (1945-1962)*, Genève, Droz, 2016 ; *La France et l'Égypte de 1882 à 1914. Intérêts économiques et implications politiques*. Paris, CHEFF, 1997; divers articles de périodiques et contributions à des ouvrages collectifs, notamment d'histoire économique.

WEN WEN est doctorante de Sorbonne Université. Son projet de recherche porte sur les ingénieurs français envoyés en Chine aux XIXe et XXe siècles.

REVUE FRANÇAISE
D'HISTOIRE ÉCONOMIQUE

N° 14

In memoriam

THE FRENCH ECONOMIC
HISTORY REVIEW

N° 14

In memoriam

In Memoriam

Lucette Le Van-Lemesle

Le 17 juin 2020, Lucette Le Van, née Lemesle, nous a quittés à l'âge de quatre-vingt-cinq ans. Agrégée d'histoire, elle connut un parcours assez classique pour les personnes de sa génération : une longue période d'enseignement en lycée, au cours de laquelle elle fut notamment, un temps, la collègue de l'historien Jean-Jacques Becker. Épouse d'un médecin, elle s'engagea dans la préparation d'une thèse de doctorat d'État sous la direction de Jean Bouvier, puis, au décès de ce dernier, en 1987, sous celle d'Antoine Prost. Cela lui valut d'être recrutée à Paris I Panthéon Sorbonne sur un poste de Maître assistant, puis Maître de conférences. Très impliquée dans son enseignement, dans l'encadrement des étudiants et dans l'organisation de colloque, elle entra au Centre d'histoire sociale de la rue Malher. Elle y dirigea ou codirigea de nombreux mémoires de Maîtrise. En 1995, elle soutint, toujours à Paris I, son doctorat d'État, avec une grande thèse intitulée *L'Enseignement de l'économie politique en France (1860-1939)*. Cette thèse fut publiée en 2004, dans une version abrégée, par le Comité pour l'histoire économique et financière de la France, sous le titre *Le juste ou le riche. L'enseignement de l'économie politique, 1815-1950*, Paris, CHEFF, 2004, 788 p.[1]

1 – Pour un compte rendu informé de cette thèse, voir : Alain Chatriot, Claire Lemercier, « Lucette Le Van-Lemesle, Le juste ou le riche. L'enseignement de l'économie politique, 1815-1950, Paris, CHEFF, 2004, 788 p., 35 € », *Revue d'histoire moderne et contemporaine*, 2005, n° 52.3, p. 190 ; Claire Lemercier, « Le VAN-LEMESLE (Lucette). - Le Juste ou le Riche. L'enseignement de l'économie politique, 1815-1950 », *Histoire de l'éducation* [En ligne], 105 | 2005, mis en ligne le 23 mars 2009, consulté le 1er mai 2019. URL : http://journals.openedition.org/histoire-education/1110

Cette thèse lui valut ensuite d'être élue comme Professeure aux universités de Metz, puis de Marne-la-Vallée, mais aussi Chargée de cours à l'ENSAE en histoire de la pensée économique et à l'Institut d'études politiques de Paris en méthodologie. Personnalité affable, ouverte et tolérante, elle fut une pionnière, dont la thèse demeure une somme incontournable et dont il n'existe toujours pas d'équivalent pour les années postérieurs à la Seconde guerre mondiale, faute notamment d'une publication de l'ouvrage d'Emmanuel Dreyfus[2]. L'activité scientifique de Lucette Le Van-Lemesle fut importante : pas moins de 59 publications. Parmi les plus significatives, retenons le grand colloque *Les Nationalisations de la Libération*, co-organisé avec Antoine Prost et Claire Andrieu[3], mais aussi un ouvrage destiné aux étudiants préparant l'agrégation et le CAPES[4]. S'y ajoutent un certain nombre d'articles importants traitant en général d'histoire de la pensée économique[5], mais pas toujours[6] ainsi que de contributions à ouvrages scientifiques[7]. Lucette Le Van-Lemesle laisse le souvenir d'une collègue qui a fait honneur à son métier.

Dominique Barjot
Sorbonne Université

2 – Emmanuel Dreyfus, *L'enseignement de l'économie à Sciences po, 1945-1989, idées économiques et formation des élites*, thèse de doctorat sous la direction de Dominique Barjot, professeur à l'Université de Paris-Sorbonne, 2011, 2 volumes, 727 p. et 301 p., avec annexes.

3 – Antoine Prost, Lucette Le Van-Lemesle et Claire Andrieu, dir., *Les Nationalisations de la Libération : de l'utopie au compromis*, Paris Presses de Sciences Po, 1987, 392 p.

4 – Lucette Le Van, *Industrialisation et sociétés, 1880-1970 : la France*, Paris, Ellipses, 1998.

5 – Lucette Le Van Lemesle, « Les économistes français et l'usage des modèles étrangers », *Revue d'histoire du XIXe siècle*, vol. 23, n° 1, 2001, p. 73-86 ; « Les économistes français et l›usage des modèles étrangers », *Revue d'histoire du XIXe siècle*, vol. 23, n° 2, 2001, p. 5-15 ; « 1897 : l'agrégation comme outil de professionnalisation », *L'Économie politique*, vol. 23, n° 3, 2004, p. 52-71 ; « Les théories économiques et la crise de 1973 », *Vingtième Siècle. Revue d'histoire*, vol. 84, n° 4, 2004, p. 83-92.

6 – Lucette Le Van Lemesle, « Léo Malet et ses « Nouveaux Mystères » », *Sociétés & Représentations*, vol. 17, n° 1, 2004, p. 171-182.

7 – Lucette Le Van-Lemesle, « Une expérimentation sociale. La caisse d'escompte des associations populaires de consommation, de production et de crédit, 1865-1868 », dans Olivier Feiertag et Isabelle Lespinet-Moret (dir.), *L'économie faite homme. Hommage à Alain Plessis*, Genève, Librairie Droz, 2010, p. 415-422.

In Memoriam

Jacques Thobie

22 avril 1929 - 8 avril 2020

La discipline historique et la communauté universitaire ont perdu un membre estimé et respecté. Historien marquant des relations internationales, le professeur Jacques Thobie s'est éteint dans la nuit du 7 au 8 avril, quelques jours avant de célébrer ses 91 ans. Résidant dans un établissement spécialisé depuis quatre ans, il a été emporté par la pandémie du Covid-19 qui balaie le monde.

Il nous a quittés après avoir édifié une œuvre scientifique impressionnante par sa richesse, sa qualité et sa quantité. Sur les relations franco-ottomanes et franco-turques, sur l'histoire économique et financière du Moyen-Orient, sur le rôle de l'économie dans les relations internationales, Jacques Thobie s'est imposé comme une référence incontournable.

Chercheur de haute volée, il était aussi un pédagogue exceptionnel qui a formé des cohortes d'étudiants, dirigé de nombreux doctorants (dont le signataire) et inspiré des chercheurs venus vers lui de partout. Un dîner chez Jacques et Marthine Thobie à Viry-Châtillon, au sud de Paris, pouvait réunir des visiteurs de plusieurs pays qui faisaient connaissance grâce à leurs hôtes. En plus de l'autorité que confèrent le savoir et l'érudition, Jacques Thobie disposait d'un atout maître: une personnalité avenante, engageante, sans façon, subtile, plus portée à manier la litote et la périphrase qu'à recourir à la déclaration. Il était agréable d'être en sa compagnie. En atteste le nombre de ses amis dont plusieurs collaboraient aussi avec lui dans des activités scientifiques. Reconnaissants, trente-cinq de ses collègues et ex-étudiants publient un volumineux *Festschrift* en son honneur : *Méditerranée, Moyen-Orient : deux siècles de relations internationales. Recherches en hommage à Jacques Thobie* (Paris, L'Harmattan, 2003).

Les aptitudes intellectuelles qui le conduiront vers la carrière universitaire se révèlent très tôt. Son cursus est celui d'un élève doué qui se réalise au fur et à mesure que procède sa formation. Jacques Thobie est issu d'un milieu modeste qui compte sur l'école républicaine pour l'amélioration de ses conditions de vie. Natif de Nantes, il y effectue ses études primaires et secondaires. Passé hypokhâgne et khâgne à Rennes et à Henri-IV, il est reçu à l'École normale supérieure de Saint-Cloud en 1952. L'année suivante, il soutient un Diplôme d'études supérieures de philosophie avec le professeur Henri Gouhier. Toutefois, il se réoriente vers l'histoire, discipline qui lui sied mieux et qui deviendra sa vocation. Il fait son service militaire en 1953-1954, mais il est rappelé comme officier de réserve en Algérie et au Maroc en 1956-1957. Reçu à l'agrégation d'histoire en 1958, il enseigne au Lycée Victor-Bach à Saint-Quentin, puis au Lycée Voltaire à Paris. Durant cette période, il entame la préparation d'une thèse de doctorat d'État à la Sorbonne sous la direction du doyen Pierre Renouvin. Attaché de recherche au CNRS en 1962, il est nommé assistant d'histoire à la Sorbonne en 1965. Sous la direction du professeur Jean-Baptiste Duroselle, il soutient en 1969 une thèse de troisième cycle, nouvelle mouture de la thèse complémentaire en voie de suppression. Elle sera publiée trois ans plus tard sous le titre *Phares ottomans et emprunts turcs, un type de règlement financier dans le cadre des traités 1904-1961* (Paris, Publications de la Sorbonne, 1972). L'ouvrage est réédité et mis à jour sous le titre *L'administration générale des phares de l'Empire ottoman et la société Collas et Michel (1860-1960) - Un siècle de coopération économique et financière entre la France, l'Empire ottoman et les États successeurs* (Paris, L'Harmattan, 2004).

Jacques Thobie est alors nommé maître-assistant d'histoire contemporaine à la Sorbonne, puis à Paris I Panthéon-Sorbonne. En marge de sa thèse, il publie dès 1968 dans la *Revue historique* un article important sur le refus en France de l'emprunt ottoman de 1910. En mai 1973, il soutient - en obtenant la plus haute mention - sa thèse d'État qui paraîtra quatre ans plus tard sous le titre *Intérêts et impérialisme français dans l'Empire ottoman 1895-1914* (Paris, Publications de la Sorbonne, 1977). Cet ouvrage fondamental et monumental, qui fait immédiatement autorité, établit sa réputation d'historien de premier plan des relations internationales. S'y retrouvent les marques distinctives de l'« École française » d'histoire des relations internationales qui, à l'instar de Renouvin, tourne la page sur l'histoire diplomatique classique : sensibilité au rôle des « forces profondes », souci de voir au-delà des événements et péripéties de surface, dépouillement exhaustif des archives politiques et économiques. Illustrant l'approche de cette « nouvelle histoire » internationale, la démarche repose sur la prise en compte de l'interaction des conditions économiques générales, des intérêts privés, notamment ceux des entreprises, et de la politique de l'État. Jacques Thobie est de la génération des historiens des relations internationales formés par Renouvin et Duroselle, génération qui innove en sollicitant les archives bancaires, à l'époque peu connues et difficilement accessibles. Faisant office de pionnière en la matière, elle ouvre la voie à la prochaine génération (dont le signataire, qui bénéficia des conseils de son mentor, fait partie).

Dans ce *magnum opus* qui fait date, la préoccupation théorique de Jacques Thobie s'incarne dans la mise à contribution (et à l'épreuve) de la théorie léniniste de l'impérialisme comme point de départ appelant des modifications à la lumière de l'analyse empirique du passé, par exemple l'importance accordée à la dimension politique. Libre de tout dogmatisme, nullement sectaire, respectueux des autres approches, il emploie le marxisme comme instrument heuristique et hypothèse à soumettre à l'épreuve de l'histoire, jamais comme *a priori*, système clos ou cadre immuable. Jacques Thobie est foncièrement historien, homme du concret, en symbiose avec les archives qu'il goûte sincèrement et fréquente assidûment.

Élu en 1974 maître de conférences d'histoire contemporaine à l'Université de Haute-Bretagne Rennes II, Jacques Thobie y devient professeur en 1976. En octobre 1989, il est élu professeur d'histoire des relations économiques internationales contemporaines à l'Université Paris VIII Saint-Denis. De 1991 à 1994, il est détaché auprès du ministère des Affaires étrangères en qualité de directeur de l'Institut Français d'Etudes Anatoliennes (IFEA) à Istanbul. Il demeure professeur à Paris VIII jusqu'à sa retraite en 1995, date à laquelle il est nommé professeur émérite. Il est aussi officier des Palmes académiques. À partir de 1996, il enseigne semestriellement l'histoire des relations internationales à l'Université francophone de Galatasaray (Istanbul).

Ample et durable, le legs scientifique de Jacques Thobie consiste en un corpus de travaux de recherche fondamentale, d'ouvrages personnels et collectifs, et d'articles principalement portant sur le Moyen-Orient. Devant l'ambition sans bornes de sa thèse, il avait été contraint de s'en tenir aux « forces profondes » de nature économique, remettant à plus tard l'étude des facteurs culturels des relations franco-ottomanes. À la retraite, il y revient dans son dernier livre, paru sous le titre *Les intérêts culturels français dans l'Empire ottoman finissant, l'enseignement laïque et en partenariat* (Leuven, Peeters, 2009). On y reconnaît les traits de la pratique historienne qui fait honneur à Jacques Thobie : méticuleux dépouillement des sources, volonté d'exhaustivité, devoir d'explication, recul garant de l'équité, justesse du propos. Tenace, Jacques Thobie ne tarit pas d'efforts pour encourager le repérage des archives de la Banque impériale ottomane – Banque ottomane en 1925 – et pour les rendre accessibles aux chercheurs. Il en résulte un grand inventaire (*Banque impériale ottomane. Inventaire commenté des archives* [Istanbul, IFEA/Banque ottomane, 1994]) et la transformation de l'ancien siège de la Banque ottomane à Istanbul en centre de recherche.

Jacques Thobie s'adresse aussi au « public cultivé » par le biais de travaux de synthèse qui diffusent les avancées réalisées par l'érudition. Seul, il publie *La France impériale 1880-1914* (Paris, Mégrelis, 1982) et *Ali et les 40 voleurs. Impérialismes et Moyen-Orient depuis 1914* (Paris, Messidor, 1985). En collaboration, il est co-auteur d'une *Histoire de la France coloniale*, 2 vol. (Paris, Armand Colin, 1991) et de *La Loi des Géants* (Paris, Masson, 1993), tome 3 de la collection « Histoire des relations internationales contemporaines ». Parallèlement, Jacques Thobie produit des articles scientifiques à un rythme soutenu et élevé. Les plus importants jusqu'en 1993 sont commodément réunis dans un recueil intitulé *La France et l'Est méditerranéen depuis 1850. Économie/Finance/Diplomatie* (Istanbul, Isis, 1993). La retraite ne diminue en rien sa fécondité et les parutions continuent à la même cadence. L'action des banques et des entreprises, l'influence des emprunts et des finances, enfin le rôle du commerce extérieur constituent les terrains privilégiés de ces enquêtes ponctuelles sur la longue histoire des rapports franco-ottomans et franco-turcs.

Animateur de nombreux projets de recherche, Jacques Thobie est à l'origine d'initiatives scientifiques qui impliquent collègues et étudiants. À l'Université de Rennes 2, il crée et dirige de 1978 à 1990 le Centre Interdisciplinaire de recherches de Relations Internationales au Moyen-Orient contemporain (CIRIMO) qui publie, à partir de 1985, cinq numéros de la revue *Les Annales du Levant*. De 1983 à 1991, il préside la Commission Moyen-Orient de l'Institut d'Histoire des Conflits Contemporains (IHCC), dirigé par le professeur Guy Pédroncini. Cette commission organise de nombreuses conférences-débats avec de hautes personnalités françaises et étrangères, acteurs ou témoins de l'histoire de la région moyen-orientale. Les comptes rendus ont paru dans la revue *Guerres mondiales et conflits contemporains*. Organisateur de maints colloques, Jacques Thobie est codirecteur des ouvrages collectifs qui en sont issus. De 1986 à 1996, il est coresponsable du Groupement de recherche du CNRS n° 832 « Industrialisation et nouveaux rapports de force au Moyen-Orient depuis un siècle ». Réunissant des chercheurs de plusieurs pays, ce GDR convoque six colloques en France et en Turquie qui aboutissent à la publication chez L'Harmattan de huit ouvrages collectifs à caractère thématique, notable chacun par la taille et le nombre d'auteurs.

Longtemps Jacques Thobie s'investit dans deux grandes revues d'histoire des relations internationales. Il est, en 1974, l'un des fondateurs de la revue *Relations internationales*. Membre de son Comité de rédaction, il en est un pilier. La même année, il rejoint le Conseil scientifique de *Guerres mondiales et conflits contemporains*, participant activement et apportant une contribution appréciée. Il assume maintes fonctions et responsabilités scientifiques et administratives : membre du Comité Consultatif des Universités (CCU), membre du Conseil de l'UER d'histoire de l'Université Paris I Panthéon-Sorbonne, directeur de l'UER d'histoire de l'Université de Haute-Bretagne Rennes II, membre du Conseil de cette université, membre de son Conseil scientifique, vice-président, président de la Commission de spécialité et d'établissement en histoire, membre du Conseil scientifique puis directeur de l'IFEA, membre du Conseil scientifique de l'Université européenne de Florence, membre du bureau du Conseil d'administration de l'Université de Paris VIII, membre du Conseil scientifique de l'Institut National des Langues et Civilisations Orientales (INALCO), membre de la Commission du ministère des Affaires étrangères pour la publication des *Documents diplomatiques français*.

Jacques Thobie laisse un insigne et durable héritage scientifique. Pour tous ceux qui l'ont connu et pour tous ceux qui s'intéressent à l'histoire des relations internationales, à l'histoire du Moyen-Orient, à l'histoire économique et à l'histoire des entreprises, sa mémoire est indélébile. En cet universitaire praticien de la nouvelle histoire des relations internationales, la communauté scientifique a perdu un des meilleurs des siens, un savant dont la modestie et l'absence de prétentions rehaussaient la grandeur.

Samir Saul
Université de Montréal

CONSIGNES ÉDITORIALES

Soumission des articles
Les manuscrits doivent être envoyés au Comité de rédaction qui les transmettra au Comité de lecture de la Revue. Ils peuvent être renvoyés à leurs auteurs pour correction et, une fois acceptés, les manuscrits sont insérés dans le projet éditorial établi par le Comité de rédaction.

Recommandations
- Les manuscrits sont à envoyer en version papier (1 exemplaire) accompagnée d'un CD-Rom et complété par un envoi fichier à l'adresse mail suivante : arfhe@gmail.com
- Ils doivent comporter le nom de l'auteur, une adresse postale précise, un numéro de téléphone et une adresse électronique.
- Les manuscrits ne doivent pas excéder 60.000 signes (caractères et espaces compris) ou 10.000 mots ; ils intègrent un résumé de l'article d'environ 700 signes (caractères et espaces compris) ou 120 mots ainsi qu'une mini biographie (comprenant quelques publications marquantes) d'environ 700 signes (caractères et espaces compris) ; les résumés et mini biographies sont bilingues franco-anglais.

Les normes typographiques de la *Revue française d'Histoire économique* sont conformes à celle utilisées par les Presses Universitaires de Paris Sorbonne (PUPS) consultables à l'adresse suivante : http://www.clea.paris-sorbonne.fr/PUPS/PUPSnormes.pdf

EDITORIAL INSTRUCTIONS

Submission
Manuscripts sent to the Editorial committee will be transmitted to the Reading Committee of the Review. Manuscripts can be sent back to their authors for correction. Once accepted, manuscripts will be inserted into the editorial project established by the Editorial committee.

Recommendations
- Manuscripts should be submitted in paper version (1 copy) with a CD-ROM together with an electronic file. Please note the following e-mail address: arfhe@gmail.com
- Manuscripts should include a title page with author's name and contact information (mailing address, phone number and e-mail address).
- Manuscripts in 12-point Times New Roman should not exceed 35 000 characters including spaces (5 500 words).
- Manuscripts should include an abstract of 700 characters or less including spaces (100 words or less) and a mini biography including some significant publications (700 characters or less including spaces). Summaries and mini biographies should be bilingual (French-English).

The English typographical requirements of *The French Economic History* Review are in compliance with that used by the Chicago Manual of Style: http://www.chicagomanualofstyle.org/16/contents.html

BULLETIN D'ADHÉSION

À retourner accompagné de votre règlement à l'adresse postale suivante:

Association des Amis de la Revue française d'Histoire économique
Professeur Dominique BARJOT
Maison de la Recherche
Sorbonne Université
28, rue Serpente 75006 Paris France
arfhe@laposte.net

Nom, Prénom: ....

Profession/Institution: ....

Adresse: ....

Téléphone: ....

E-mail: ....

Je m'abonne pour l'année: ....

Chaque abonnement donne droit à la livraison des 2 numéros annuels de la revue

	FRANCE	ÉTRANGER*
Particuliers (frais d'envoi inclus)	❒ 1 an = 70 € ❒ 2 ans = 120 €	❒ 1 an = 80 € ❒ 2 ans = 150 €
Institutions (frais d'envoi inclus)	❒ 1 an = 170 € ❒ 2 ans = 330 €	❒ 1 an = 190 € ❒ 2 ans = 360 €
Particuliers: Abonnement + adhésion à l'Association des Amis de la RFHE (frais d'envoi inclus)	❒ 1 an = 65 € ❒ 2 ans = 115 €	❒ 1 an = 75 € ❒ 2 ans = 140 €
Institutions: Abonnement + adhésion à l'Association des Amis de la RFHE (frais d'envoi inclus)	❒ 1 an = 160 € ❒ 2 ans = 320 €	❒ 1 an = 180 € ❒ 2 ans = 350 €
Prix à l'unité	35 € (frais d'envoi inclus)	40 € (frais d'envoi inclus)

* Pour les abonnements à l'étranger, les chèques ne sont pas acceptés et les souscriptions se font par virement international à l'adresse suivante:

Banque: Crédit Mutuel, CME Paris Quartier Latin,
69 boulevard Saint-Germain 75005 PARIS FRANCE

Titulaire: Association des Amis de la Revue française d'Histoire économique
Account Currency: 00020706401
Account Number IBAN: FR76 1027 8065 0000 0207 0640 135
BIC (SWIFT) Code: CMCIFR2A

SUBSCRIPTIONS

To return accompanied with your regulation to the:

Association des Amis de la Revue française d'Histoire économique
Professor Dominique BARJOT
Maison de la Recherche
Sorbonne Université
28, rue Serpente 75006 Paris France
arfhe@laposte.net

Name: ....

Profession/Institution: ....

Adress: ....

Phone: ....

E-mail: ....

I subscribe for year: ....

All subscriptions are entered for two issues on a calendar year basis running from January to December

	FRANCE	ÉTRANGER *
Individuals (inclusive forwarding charges)	❒ 1 year = 70 € ❒ 2 years = 120 €	❒ 1 an = 80 € ❒ 2 years = 150 €
Institutional Subscribers (inclusive forwarding charges)	❒ 1 year = 170 € ❒ 2 years = 330 €	❒ 1 year = 190 € ❒ 2 years = 360 €
Individuals: Members + Society for the French Economic History Review membership (inclusive forwarding charges)	❒ 1 year = 65 € ❒ 2 years = 115 €	❒ 1 year = 75 € ❒ 2 years = 140 €
Institutions: Members + Society for the French Economic History Review membership (inclusive forwarding charges)	❒ 1 year = 160 € ❒ 2 years = 320 €	❒ 1 year = 180 € ❒ 2 years = 350 €
Unit price	35 € (inclusive forwarding charges)	40 € (inclusive forwarding charges)

* Full pre-payment in EUR (€) is required for all orders by bank transfer:

Bank: Crédit Mutuel, CME Paris Quartier Latin,
69 boulevard Saint-Germain 75005 PARIS FRANCE

Account: Association des Amis de la Revue française d'Histoire économique
Account Currency: 00020706401
Account Number IBAN: FR76 1027 8065 0000 0207 0640 135
BIC (SWIFT) Code: CMCIFR2A

www.ingramcontent.com/pod-product-compliance
Lightning Source LLC
LaVergne TN
LVHW010941051026
849532LV00003B/1084